KT-528-488

Cuisine *de* Bistrot

Dear Christopher!

Jean-Marc Gérard et Jean-Michel Masson,
deux jeunes chefs, ont collaboré activement à la rédaction de ce livre
en nous apportant leur talent et leur savoir-faire.
Complices depuis dix ans, ils composent dans leur restaurant
« Les Trois Marches » à Nancy,
une cuisine du marché, généreuse et inventive.

Ces quelques heures
passées sur ta terasse au dessus des toits
de Londres ... au soleil! →
me laissent un souvenir wonderful!
Un melange (assez confus) d'histoires
d'amours, de voyages, de bouffes, et
d'amitié! J'espère revenir dans
moins de 20 ans pour discuter
tranquillement et se promener

Paris le 25. Juin 2002.

BRUNO BALLUREAU

PHOTOGRAPHIES ALAIN MURIOT

Cuisine de Bistrot

Quelle belle journée !

je t'embrasse

Bruno

Ensemble !

Flammarion

Sommaire

LES VIANDES

LES DESSERTS

COMME AU BISTROT

Les cosaques occupant Paris, et, particulièrement, les débits de boissons en 1814, ont-ils lancés le fameux « bystro ! » (vite en russe) pour se faire servir plus rapidement ? Cette hypothèse n'a plus beaucoup de crédit de nos jours, même s'il est dommage que cette théorie guerrière ait pris du plomb dans l'aile, tant l'injonction semble encore vivace dans l'esprit des bistrotiers quand l'agitation frénétique du service les saisit à l'heure du coup de feu !

Car c'est bien là un des paradoxes de cette cuisine campagnarde montée à Paris, mijotée à feu doux dans de lentes et amoureuses cuissons et souvent sacrifiée en 30 minutes sur l'autel du déjeuner express au coin d'une nappe à carreaux.

Quelque peu débarrassée des lourdeurs roboratives du terroir, elle s'est affinée et raffinée, sans pour autant renier ses origines qui dessinent une carte de France des régions et des crus, joignant d'un trait d'huile d'olive le Nord et le Sud ou réunissant l'Est et l'Ouest dans le mariage heureux d'un poisson et du lard fumé.

Mais c'est aussi une cuisine vivante et novatrice, simple sans être facile, qui s'empare des idées nouvelles pour les injecter dans ses fonds de cuisson et qui s'invente chaque matin sur les marchés, au gré d'une promenade entre les étals des maraîchers.

Mariage de raison entre le plat du jour et les produits de saison, mariage d'amour entre le dernier arrivage de la criée et un jeune et croquant légume aux feuilles vigoureuses, chacune de ces recettes exprime notre envie d'une cuisine simple et généreuse à partager... chez soi, entre amis !

LES SOUPES

Soupe de persil et quenelles de chèvre frais

Pour 4 personnes
Temps de préparation : 30 minutes
Temps de cuisson : 20 minutes

150 g de céleri-rave
1 pomme de terre
1 l de bouillon de volaille
400 g de persil plat
1 petit bouquet d'herbes fines
(cerfeuil, ciboulette, estragon)
150 g de chèvre frais
1 gousse d'ail
1 cuillerée à soupe d'huile d'olive
20 cl de crème légère
Sel, poivre du moulin

Épluchez le céleri et la pomme de terre, puis coupez-les en dés. Faites-les cuire 20 minutes dans le bouillon de volaille jusqu'à ce qu'ils soient tendres. Lavez le persil et faites-le blanchir 10 secondes dans l'eau bouillante. Rafraîchissez-le de suite dans une bassine d'eau glacée pour qu'il conserve une jolie couleur vive.

Réunissez les légumes et le persil dans le bol d'un robot coupe. Mixez très finement en ajoutant peu à peu le bouillon pour délayer l'ensemble. Faites réchauffer la soupe à feu très doux et maintenez-la au chaud.

Lavez les herbes fines, essorez-les et hachez-les finement. Écrasez le fromage de chèvre à la fourchette, assaisonnez-le de sel, de poivre et incorporez les herbes et l'ail pressé. Mélangez soigneusement et détendez le mélange avec un peu d'huile d'olive.

Façonnez des quenelles à l'aide de deux cuillères et réservez-les sur un papier absorbant.

Versez la soupe de persil dans des assiettes creuses chaudes. Ajoutez un trait de crème légère, répartissez les quenelles de chèvre et décorez de quelques pluches de persil.

Conseil : pour faire des quenelles plus moelleuses et fondantes, utilisez un cottage cheese.

Gaspacho de melon au magret fumé

Pour 4 personnes

Temps de préparation : 20 minutes
Temps de cuisson : 10 minutes
Temps de réfrigération : 2 heures

20 cl de porto
2 melons
1 baguette de campagne
1 magret de canard fumé
Quelques brins de ciboulette
Sel, poivre du moulin

Faites réduire le porto à petit bouillon jusqu'à consistance sirupeuse et réservez-le dans un endroit frais.
Coupez les melons en deux et évidez-les avec une cuillère parisienne pour faire des petites boules. Finissez à la cuillère pour enlever toute la chair.
Réservez quelques billes de melon pour la décoration et passez le reste au mixeur jusqu'à consistance fluide. Assaisonnez de sel et poivre et ajoutez le porto réduit. Faites rafraîchir au réfrigérateur pendant deux heures.

Découpez la baguette en fines tranches et faites-les griller sous le grill du four. Découpez le magret en tranches fines et émincez-en la moitié en petits lardons.
Répartissez le gaspacho dans des assiettes froides, parsemez de lardons de magret et décorez de ciboulette ciselée. Servez avec des toasts de pain grillés au magret.

Conseil : vous pouvez vous servir des melons évidés comme des bols pour servir le gaspacho.

Consommé glacé de langoustines

Pour 4 personnes

Temps de préparation : 40 minutes
Temps de réfrigération : 4 heures
Temps de cuisson : 1 heure

20 langoustines
5 cl d'huile d'olive
1 cuillerée à soupe de concentré de tomates
65 cl de crème liquide
1 carotte
1 courgette
1 branche de céleri
Quelques brins de cerfeuil
Sel, fleur de sel, poivre du moulin

Séparez les queues des langoustines et réservez-les au frais. Faites sauter les têtes et les pattes dans une sauteuse avec 2 cuillerées à soupe d'huile jusqu'à ce qu'elles soient bien rouges. Déglacez avec 1 l d'eau et portez à ébullition. Ajoutez le concentré de tomates, assaisonnez de sel et poivre et faites cuire à petit feu pendant 40 minutes.

Réduisez en purée les têtes et pattes au pilon, puis passez-les, avec l'eau de cuisson, à l'étamine. Faites réduire jusqu'à obtenir 25 cl de jus. Ajoutez la crème et faites réduire encore un peu avant de laissez refroidir et de ranger au frais quelques heures.

Préparer une petite brunoise avec les légumes et faites-les cuire 6 à 7 minutes dans l'eau bouillante salée.

Passez le consommé glacé au mixeur avant de servir pour bien l'émulsionner. Faites sauter les queues de langoustines décortiquées dans le reste d'huile d'olive et assaisonnez-les de fleur de sel et de poivre du moulin.

Versez le consommé dans les bols, répartissez les dés de légumes et les queues de langoustines et décorez de pluches de cerfeuil et éventuellement d'une langoustine entière rôtie.

Conseil : Si vous n'avez pas de pilon, écrasez les têtes de langoustines dans un chinois avec une spatule en bois.

Velouté de lentilles vertes, infusion de lard fumé

Pour 4 personnes

Temps de préparation : 10 minutes
Temps de cuisson : 40 minutes

300 g de lentilles vertes du Puy
200 g de lard fumé
15 cl de vin blanc sec
1 bouquet garni
2 cuillerées à café de cumin en poudre
4 très fines tranches de poitrine fumée ou de bacon
15 cl de crème fraîche
Quelques graines de cumin
2 cuillerées à soupe de pignons
Sel, poivre du moulin

Rincez les lentilles sous un filet d'eau froide et égouttez-les.
Coupez grossièrement le lard en lardons et faites-les sauter, sans matière grasse, dans une cocotte à feu doux. Versez les lentilles et mouillez avec 1 litre d'eau salée et le vin blanc. Ajoutez le bouquet garni, le cumin en poudre et faites cuire 40 minutes.
Pendant ce temps, faites frire les tranches de poitrine à la poêle jusqu'à ce qu'elles soient dorées et réservez-les sur un papier absorbant.
Enlevez le bouquet garni et passez la soupe de lentilles au moulin à légumes, grille fine, ou au mixeur. Ajoutez la crème et donnez un bouillon avant de rectifier l'assaisonnement et sel et poivre.
Servez dans des bols ou des assiettes très chauds, parsemez de graines de cumin, de pignons et décorez d'une fine tranche de lard grillée.

Conseil : achetez des lentilles estampillées récolte de l'année, et, si possible, des lentilles AOC du Puy.

Velouté de cèpes et biscuits de parmesan

Pour 4 personnes

Temps de préparation : 30 minutes
Temps de cuisson : 30 minutes

1 oignon
1 branche de céleri
300 g de cèpes
5 cl d'huile d'olive
40 g de beurre
1 gousse d'ail
30 cl de crème fleurette
Noix muscade
Quelques pluches de cerfeuil
Sel, poivre du moulin

Pour les biscuits
1 blanc d'œuf
4 cuillerées à soupe de parmesan râpé
20 g de beurre
1 cuillerée à soupe de farine

Préchauffez le four à 210 °C (th. 7).
Dans une jatte, battez rapidement à la fourchette le blanc d'œuf. Ajoutez le parmesan, le beurre fondu et la farine, puis battez pour obtenir un mélange homogène. Déposez des tas de la valeur de 1 cuillerée à soupe sur une tôle huilée et arrondissez-les du dos de la cuillère. Faites cuire au four environ 5 minutes jusqu'à ce que les biscuits soient dorés.
Pelez l'oignon et la branche de céleri, puis émincez-les finement. Nettoyez les cèpes et essuyez-les soigneusement. Coupez les pieds terreux et pelez-les à l'aide d'un économe. Émincez les cèpes en lamelles. Faites-les sauter dans 5 cl d'huile d'olive 3 minutes à feu vif et réservez-les.
Versez le beurre dans la poêle avec les légumes émincés et la gousse d'ail écrasée. Faites suer sans colorer pendant 5 minutes, ajoutez les cèpes en réservant quelques belles lamelles pour la décoration, puis mouillez avec 50 cl d'eau. Salez et laissez cuire 10 minutes.
Versez la crème fleurette et faites cuire encore 10 minutes. Passez le consommé dans le bol d'un mixeur et émulsionnez finement. Rectifiez l'assaisonnement en sel et poivre et ajoutez une pincée de muscade.
Versez dans des assiettes chaudes et décorez avec les biscuit de parmesan, les lamelles de cèpes poêlées et quelques pluches de cerfeuil.

Conseil : si vous utilisez des cèpes déshydratés, récoltez soigneusement l'eau de trempage et filtrez-la avant de l'incorporer au bouillon.

LES ENTRÉES

Mille-feuilles d'avocat et mozzarelle à la vinaigrette de betterave

Pour 4 personnes

Temps de préparation : 15 minutes
Sans cuisson

1 orange
2 betteraves cuites
3 avocats bien mûrs
2 boules de mozzarelle de bufflonne
2 cuillerées à soupe de vinaigre de Xérès
5 cl d'huile d'olive
1 bouquet de basilic
Fleur de sel, poivre du moulin

Levez le zeste de l'orange avec un économe, détaillez-le en fine julienne et faites-le blanchir 2 minutes à l'eau bouillante. Réservez.
Pelez les betteraves et les avocats et coupez-les en tranches épaisses. Égouttez la mozzarelle et coupez-la également en tranches.
Montez les mille-feuilles au centre des assiettes en faisant un socle avec une tranche de betterave, puis en intercalant des rondelles de mozzarelle et d'avocat.
Versez le reste des morceaux de betterave dans le bol d'un robot avec le vinaigre et le jus de 1/2 orange et mixez finement. Passez la préparation au tamis et recueillez le jus de betterave. Montez en vinaigrette avec l'huile d'olive et arrosez les mille-feuilles en faisant un cordon de sauce.
Assaisonnez de fleur de sel et d'un tour de moulin à poivre et décorez avec la julienne d'orange et quelques feuilles de basilic.

Conseil : pour la beauté de la couleur et la fraîcheur de l'association, choisissez un vin italien rosé.

Vinaigrette de mousserons à l'œuf défait

Pour 4 personnes

Temps de préparation : 30 minutes
Temps de cuisson : 25 minutes

15 cl de vinaigre de vin
5 œufs extra-frais
500 g de mousserons (ou de petits champignons des bois)
10 cl d'huile d'olive
1 pomme de terre
1 carotte
1 oignon
30 g de beurre
Noix de muscade
Vinaigre balsamique
Sel, poivre du moulin

Faites chauffer une casserole d'eau salée avec 2 cuillerées à soupe de vinaigre jusqu'à ce que l'eau frémisse, mais ne bout pas. Cassez 4 œufs dans des tasses, faites-les glisser rapidement dans l'eau chaude et ramenez le blanc à l'aide d'une spatule. Faites cuire 4 minutes, sortez-les avec une écumoire et plongez-les dans l'eau froide pour stopper la cuisson.
Versez le reste de vinaigre dans l'eau et portez à ébullition. Jetez-y les petits mousserons nettoyés, faites-les blanchir 2 minutes et égouttez-les bien. Faites chauffer l'huile et versez-la sur les champignons dans une jatte. Laissez refroidir.
Râpez la pomme de terre, la carotte et l'oignon pelés à l'aide d'une grille à gros trous. Assaisonnez de sel, de poivre et de muscade, ajoutez un quart des champignons et le dernier œuf battu. Mélangez et formez des palets en les pressant entre vos mains.
Faites cuire les palets à la poêle à feu très doux dans le beurre 5 minutes sur chaque face.
Disposez un cordon de champignons à l'huile dans les assiettes, arrosez de quelques gouttes de vinaigre balsamique et dressez au centre un palet de légumes.
Posez dessus les œufs réchauffés 45 secondes dans l'eau bouillante et bien égouttés. Assaisonnez et versez quelques gouttes d'huile de la marinade.

Conseils : choisissez des œufs de première fraîcheur pour réussir cette recette et égalisez-les, une fois cuits, avec une paire de ciseaux.
À déguster avec un blanc léger et nerveux comme un bourgogne aligoté ou un sauvignon de Touraine.

Terrine de volaille au foie gras de canard

Pour 6 personnes

Temps de préparation : 20 minutes
Temps de réfrigération : 24 heures
Temps de cuisson : 1 h 15

350 g de foie gras de canard cru
1 carotte
10 belles feuilles de chou vert
500 g de blancs de volaille fermiers
2 œufs
10 cl de fond de volaille
10 cl de lait
5 cl de porto blanc
25 cl de crème liquide
Sel, poivre du moulin

Dénervez le foie gras et assaisonnez-le de sel et poivre. Façonnez-le en forme de boudin et laissez reposer au frais. Coupez la carotte en longs bâtonnets et faites-les cuire à l'eau salée pendant 7 minutes. Faites blanchir les feuilles de chou pendant 5 minutes.
Passez les blancs de volaille au mixeur par petits-à-coups pour ne pas échauffer la farce. Ajoutez les œufs, le fond de volaille froid, le lait, le porto et la crème liquide. Mixez la farce jusqu'à ce qu'elle soit bien homogène, puis versez-la dans une jatte bien froide. Assaisonnez de sel et poivre.
Préchauffez le four à 150 °C (th. 5).
Chemisez une terrine beurrée ou un moule à cake avec les feuilles de chou refroidies et essorées. Étalez au fond une couche de farce de volaille et plantez-y la moitié des bâtonnets de carotte. Couvrez d'un peu de farce et enfoncez au centre le boudin de foie gras. Terminez la terrine avec le reste de farce et de carottes. Couvrez en rabattant les feuilles de chou et posez un couvercle.
Faites cuire 1 heure dans un bain-marie tiède. Laissez refroidir la terrine 24 heures après cuisson, démoulez-la et emballez-la dans du film alimentaire pour la trancher.

Conseils : la terrine est cuite quand la graisse du foie gras remonte à la surface et qu'une lame de couteau la transperce sans résistance.
À boire avec un blanc riche et sec qui s'accordera avec la volaille et le foie gras : un meursault ou un gewurztraminer grains nobles.

Carpaccio de magret à l'huile de noix et aux amandes grillées

Pour 6 personnes

Temps de préparation : 20 minutes
Temps de réfrigération : 6 à 24 heures
Temps de cuisson : 10 minutes

2 magrets de canard
10 cl d'huile de noix
1 citron
50 g d'amandes effilées
100 g de parmesan
Quelques brins de ciboulette
1 cuillerée à soupe de pistaches
Fleur de sel, poivre du moulin

Entaillez peu profondément la peau des magrets. Posez-les dans une poêle anti-adhésive et faites-les fondre, côté peau, à feu très doux, pendant environ 10 minutes, jusqu'à ce que le gras soit grillé, mais sans que la chair cuise.
Laissez-les refroidir et emballez-les dans un film alimentaire avant de les réserver au frais quelques heures (de 6 à 24 heures).
Sortez les magrets 2 heures avant le service et tranchez-les en fines lamelles de biais comme le saumon fumé. Répartissez-les sur les assiettes en les étalant le plus possible et arrosez chaque assiette de 2 cuillerées à soupe d'huile de noix et de quelques gouttes de jus de citron.
Avant de servir, grillez les amandes et levez des copeaux de parmesan avec un couteau économe. Parsemez les carpaccio de fromage, de ciboulette, d'amandes et de pistaches. Au dernier moment, donnez un tour de moulin à poivre et une pincée de fleur de sel.

Conseils : surveillez la cuisson du magret qui ne doit marquer que le gras de celui-ci et surtout pas la chair.
À boire avec un blanc assez souple comme un pinot blanc d'Alsace, un rully ou un arbois.

Rillettes aux deux saumons

Pour 4 personnes

Temps de préparation : 10 minutes
Temps de cuisson : 5 minutes

3 cuillerées à soupe d'huile d'olive
250 g de saumon frais avec la peau
250 g de saumon fumé
Quelques œufs de saumon
Quelques brins d'aneth
Fleur de sel, grains de poivre rose

Faites chauffer l'huile dans une poêle anti-adhésive, posez les pavés de saumon côté peau dans la poêle et faites cuire environ 5 minutes à feu vif. Coupez le feu, retournez les pavés et couvrez la poêle. Laissez tiédir à couvert.
Pendant ce temps, coupez les tranches de saumon fumé en fines lanières et versez-les dans une jatte. Ciselez l'aneth et ajoutez-la au saumon. Sortez les pavés de saumon de la poêle, enlevez la peau et réduisez-les en miettes avec une fourchette ou avec les doigts.
Réunissez les deux saumons dans la jatte, rectifiez l'assaisonnement en sel (attention, le saumon fumé est salé) et parfumé de baies roses écrasées.
Versez les rillettes dans des petites terrines individuelles et décorez d'œufs de saumon et de pluches d'aneth. Servez avec des tranches de pain grillé.

Conseils : si vous voulez des rillettes plus onctueuses, passez la moitié du saumon cuit au mixeur avec un peu d'huile d'olive de cuisson et malaxez-le à la fourchette avec le reste.
À boire avec un blanc sec assez riche voire moelleux comme un pouilly fumé, ou, pourquoi pas, un vendanges tardives.

Œufs en meurette et piperade aux champignons

Pour 4 personnes

Temps de préparation : 30 minutes
Temps de cuisson : 20 minutes

4 œufs extra frais
10 cl de vinaigre
1 poivron jaune
1 poivron rouge
1 poivron vert
150 g de petits champignons de Paris
50 g de lardons allumettes
50 g de beurre
1 cuillerée à soupe de fond de veau en poudre
50 cl de vin rouge
2 cuillerées à soupe de persil haché
Sel, poivre du moulin

Cassez les œufs dans des tasses. Faites chauffer 2 litres d'eau salée dans une casserole avec le vinaigre. Quand l'eau est frémissante, mais non bouillante, maintenez la température et versez délicatement les œufs. Laissez cuire les œufs pendant 3 minutes, puis sortez-les avec une écumoire et plongez-les dans l'eau froide pour stopper la cuisson. Égalisez-les aux ciseaux.
Coupez les poivrons en lanières, puis en tout petits dés. Rincez les champignons et émincez-les. Faites sauter les lardons et les champignons avec 20 g de beurre jusqu'à ce qu'ils soient dorés. Saupoudrez de fond de veau en poudre, puis déglacez avec le vin rouge. Laisser cuire à petite ébullition, jusqu'à consistance nappante, environ 20 minutes.
Pendant ce temps, faites suer à feu très doux la brunoise de poivrons avec le reste de beurre.
Assaisonnez la réduction de sel et poivre et ajoutez le persil haché.
Faites réchauffer les œufs dans l'eau bouillante pendant 45 secondes.
Disposez les poivrons en cordon dans les assiettes chaudes et déposez au centre la réduction de champignons. Posez l'œuf égoutté dessus et nappez avec la sauce. Servez très chaud.

Conseil : à cuisiner et à boire avec un bourgogne rouge comme un chorey-lès-beaune, un côte-de-beaune ou un santenay.

Terrine de queue de bœuf en pot-au-feu

Pour 6 personnes

Temps de préparation : 40 minutes
Temps de réfrigération : 24 heures
Temps de cuisson : 2 h 30

1,5 kg de queue de bœuf
1 kg de paleron
1 pied de veau
1 oignon piqué de 2 clous de girofle
1 branche de thym
2 feuilles de laurier
3 gousses d'ail
1/2 céleri-rave
4 carottes
4 navets
3 poireaux
6 grandes feuilles de gélatine
2 cuillerées à soupe de fond de veau en poudre
Sel, poivre du moulin

Mettez les viandes dans une marmite et couvrez d'eau froide salée. Portez à ébullition et écumez. Ajoutez alors l'oignon piqué, le thym, le laurier et l'ail écrasées. Salez, poivrez et laissez cuire 2 h 30 à feu doux.
Épluchez le céleri, les carottes, les navets et les poireaux. Coupez-les tous en tronçons. Ajoutez-les dans la marmite et poursuivez la cuisson 30 minutes . Égouttez la viande et les légumes et laissez-les refroidir. Mettez la gélatine à ramollir dans un bol d'eau froide. Filtrez 30 cl de bouillon de cuisson, remettez-le dans une casserole et ajoutez le fond de veau. Portez à ébullition et laissez bouillir 1 minute tout en mélangeant. Éteignez le feu, et ajoutez la gélatine bien égouttée.
Coupez la viande en gros dés, mettez-les dans un saladier avec les légumes. Coulez deux louche de bouillon à la gélatine dans une terrine et mettez au frais pendant 15 minutes. Remplissez ensuite la terrine du mélange viande légumes en tassant un peu. Couvrez avec le reste du bouillon.
Mettez au frais 24 heures. Servez la terrine en tranches un peu épaisses accompagnées d'une salade de petites pommes de terre à chair ferme tièdes et d'une salade verte aux herbes.

Conseil : à accompagner d'un beaujolais nouveau, ou, pour les amateurs de blancs, un chablis.

Blancs de poireaux farcis à l'huile d'olive

Pour 4 personnes

Temps de préparation : 20 minutes
Temps de cuisson : 45 minutes

4 gros poireaux
2 tomates
1 carotte
100 g de champignons
1 branche de céleri
10 cl d'huile d'olive
150 g d'agneau haché
15 cl de vin blanc sec
Quelques brindilles de thym
Sel, poivre du moulin

Coupez les blancs de poireaux en 3 tronçons de 7 à 8 cm. Faites-les cuire à la vapeur pendant 15 minutes, puis laissez-les refroidir dans l'eau fraîche. Prélevez, sur chaque tronçon, les « tubes » de poireaux en les faisant glisser. Émincez finement le cœur des tronçons.
Incisez les tomates en croix et plongez-les 15 secondes dans l'eau bouillante. Pelez-les, épépinez-les et coupez-les en petits dés.
Pelez la carotte, rincez les champignons et effilez la branche de céleri. Coupez les légumes en tout petits dés, ajoutez les poireaux émincés et faites-les suer 5 minutes à la poêle avec 3 cuillerées à soupe d'huile.
Mélangez-les à la viande dans une jatte et assaisonnez-les de sel et de poivre.
Préchauffez le four à 180 °C (th. 6).
Farcissez les tubes de poireaux avec la farce et rangez-les dans un plat allant au four. Arrosez-les du reste d'huile d'olive et de vin blanc, répartissez les dés de tomates et parsemez de brindilles de thym.
Faites cuire 30 minutes au four en les arrosant souvent de leur jus de cuisson.

Conseil : à boire avec un blanc sec de la vallée du Rhône comme un saint-peray ou, plus rare, un saint-joseph blanc

Terrine de pommes au boudin noir

Pour 6 personnes

Temps de préparation : 20 minutes
Temps de réfrigération : 24 heures
Temps de cuisson : 1 h 15

800 g de boudin noir
4 pommes reinette
Le jus de 1 citron
50 g de beurre
2 cuillerées à soupe de paprika doux
10 cl de vin blanc sec
1 bouquet de ciboulette
2 cuillerées à café de raifort
15 cl de crème liquide
Sel, poivre du moulin

Pelez les boudins et coupez-les en tronçons de 10 cm, puis en trois dans le sens de l'épaisseur pour obtenir des lamelles épaisses.
Pelez les pommes, épépinez-les, coupez-les en fines rondelles et arrosez-les de quelques gouttes de citron pour éviter qu'elles ne noircissent. Faites fondre le beurre.
Chemisez une terrine ou un moule à cake avec du papier sulfurisé et étalez au fond une couche de lamelles de boudin en les serrant bien. Tassez légèrement avec la paume de la main et couvrez de deux couches de pommes. Assaisonnez de sel, de poivre et d'une bonne pincée de paprika, arrosez de 2 cuillerées de vin blanc et badigeonnez de beurre fondu au pinceau.
Préchauffez le four à 180 °C (th. 6).
Renouvelez les couches, en parsemant de ciboulette ciselée, jusqu'à épuisement des éléments. Rabattez le papier sur la terrine et faites-la cuire au bain-marie pendant 1 h 15.
Chauffez le reste de vin blanc avec le raifort et faites réduire rapidement. Ajoutez la crème et portez à ébullition. Incorporez le jus de 1/2 citron et réservez au frais.
Laissez refroidir la terrine 24 heures après cuisson et servez-la en tranches épaisses (pour qu'elles se tienne) avec une petite salade d'herbes et la crème de raifort. Décorez d'un peu de paprika.

Conseils : pour couper aisément la terrine sans qu'elle se défasse, emballez-la dans du film alimentaire et enlevez-le dans l'assiette sur la tranche.
Pour atténuer le moelleux de ce plat, un vin blanc sec s'impose comme un graves ou un bergerac.

Petits flans d'asperges tièdes et pointes d'asperges

Pour 4 personnes

Temps de préparation : 25 minutes
Temps de cuisson : 40 minutes

800 g d'asperges vertes
250 g de crevettes
5 cl d'huile d'olive
30 cl de crème fraîche
2 œufs
2 jaunes d'œufs
Sel, poivre du moulin

Pour la sauce
1 botte de persil
1/2 botte de cresson
1/2 botte de ciboulette
60 g de beurre
1/2 citron

Épluchez les asperges à l'aide d'un couteau économe, coupez le pied et les parties trop dures. Coupez les pointes à environ 5 cm et faites-les cuire à grande eau bouillante salée pendant 5 minutes. Rafraîchissez-les dans l'eau froide, égouttez-les et réservez-les. Faites cuire dans la même eau les queues d'asperges pendant 15 minutes. Égouttez-les et pressez-les fortement pour en extraire toute l'eau. Passez-les au mixeur et laissez refroidir. Faites sauter 30 secondes les crevettes à l'huile d'olive et réservez-les sur un papier absorbant. Disposez 2 crevettes au fond de chaque moule beurré.
Préchauffez le four à 150 °C (th. 5).
Incorporez la crème, les œufs entiers et les jaunes d'œufs à la purée d'asperge. Mélangez soigneusement et remplissez les moules. Faites cuire les flans pendant 20 minutes dans un bain-marie tiède.
Lavez les herbes et faites-les blanchir pendant 3 minutes, puis rafraîchissez-les. Égouttez-les et passez-les au mixeur pour obtenir une préparation lisse. Versez-les dans une casserole et faites chauffer avec le beurre coupé en petits morceaux. Assaisonnez de sel, de poivre et d'un trait de jus de citron. Poêlez rapidement les pointes d'asperges dans la poêle avec les crevettes.
Dressez les flans au centre des assiettes, répartissez les pointes d'asperges et les queues de crevettes autour et nappez de la sauce aux herbes.

Conseil : pour atténuer la légère amertume des asperges, associez un muscat sec comme le muscat d'Alsace avec ce plat.

Cannelloni d'aubergines aux légumes

Pour 4 personnes

Temps de préparation : 20 minutes
Temps de dégorgement : 1 heure
Temps de cuisson : 40 minutes

2 aubergines
5 cl d'huile d'olive
400 g de champignons de Paris
1 échalote
1 œuf
1 cuillerée à soupe de chapelure
2 cuillerées à soupe de persil
6 fines tranches de lard fumé
1 tomate
1 gousse d'ail
1 bouquet de basilic
Gros sel
1 pincée de sucre
Vinaigre
Sel, poivre du moulin

Coupez les aubergines en fines tranches et faites-les dégorger au gros sel pendant 1 heure. Rincez-les, séchez-les et faites-les doucement dorer à l'huile dans une poêle anti-adhésive. Réservez sur un papier absorbant.

Émincez finement les champignons et l'échalote et faites-les sauter à l'huile d'olive. Quand les champignons ont rendu leur eau de végétation, assaisonnez-les de sel et de poivre. Versez-les dans une jatte et ajoutez l'œuf battu, la chapelure et le persil haché. Mélangez soigneusement. Préchauffez le four à 180 °C (th. 6).

Posez 1 cuillerée à soupe de farce sur les tranches d'aubergine. Roulez-les sur elles-mêmes et maintenez-les avec 1/2 tranche de lard enroulée.

Posez-les cannelloni d'aubergines sur une plaque graissée et passez-les au four 12 minutes avant le service.

Pelez la tomate, épépinez-la et hachez-la grossièrement. Écrasez la gousse d'ail, hachez le basilic et réunissez ces éléments avec l'huile d'olive, une pincée de sucre et un trait de vinaigre.

Disposez 3 cannelloni par assiette, versez un peu de vinaigrette de tomate et décorez de quelques feuilles de basilic.

Conseil : à consommer sans modération avec un rosé sec et léger comme un tavel ou un rosé italien aux accents du Sud comme un bolgheri.

Profiteroles d'escargots à la crème d'ail et au paprika

Pour 6 personnes

Temps de préparation : 25 minutes
Temps de cuisson : 35 minutes

6 petites pommes de terre
1 tête d'ail
50 g de beurre
30 cl de crème liquide
1 boîte d'escargots
10 cl de vin blanc
Quelques brins de persil plat
Sel, poivre du moulin

Pour la pâte à choux
70 g de beurre
2 gousses d'ail
110 g de farine
3 œufs
1 cuillerée à café de levure
Sel

Préchauffez le four à 210 °C (th. 7).
Préparez les choux : faites bouillir 20 cl d'eau avec le beurre, les gousses d'ail écrasées et une bonne pincée de sel. Versez la farine d'un coup et travaillez rapidement à la spatule pour dessécher la pâte. Quand celle-ci n'adhère plus à la casserole, ajoutez, hors du feu, les œufs un par un en battant énergiquement. Battez le dernier œuf avec la levure et incorporez-le. Formez des petits tas sur une plaque graissée à la cuillère ou à la poche à douille et enfournez pour 12 minutes, puis baissez à 180 °C (th. 6) pour finir la cuisson pendant 10 minutes. Laissez refroidir sur une grille.
Pendant ce temps, faites cuire les pommes de terre à l'eau avec la tête d'ail pendant 20 à 30 minutes. Pelez et écrasez le tout dans une jatte avec le beurre en réservant 3 gousses d'ail. Assaisonnez et incorporez peu à peu la crème jusqu'à consistance souple. Farcissez les choux de cette purée.
Rincez les escargots et versez-les dans une casserole avec le vin blanc et les 3 gousses d'ail. Portez à ébullition et versez le reste de crème liquide. Rectifiez l'assaisonnement et faites légèrement réduire.
Disposez 3 choux bien chauds au centre des assiettes, répartissez les escargots autour et nappez-les de crème d'ail. Parsemez de persil ciselé.

Conseil : pour la cuisson comme pour la dégustation, choisissez un chablis ou un petit chablis.

LES POISSONS

Noisettes de sandre aux mousserons

Pour 4 personnes

Temps de préparation : 25 minutes
Temps de repos : 2 heures
Temps de cuisson : 15 minutes

20 cl de vin blanc
600 g de mousserons
1 branche de céleri
100 g de beurre
2 échalotes
Les filets de 1 sandre de 1,5 kg avec leur peau
Le jus de 1 citron
5 cl d'huile d'olive
Thym
Sel, poivre du moulin

Faites chauffer le vin blanc et jetez-y les mousserons bien nettoyés dès l'ébullition atteinte. Faites cuire pendant 3 minutes avant de les égoutter.
Effilez la branche de céleri et détaillez-la en petits dés. Faites doucement fondre les champignons dans 30 g de beurre avec le céleri et 1 échalote hachée finement.
Réservez au chaud une fois cuits.
Posez un filet de sandre sur le plan de travail. Assaisonnez de sel et de poivre et répartissez quelques cuillerées de champignons sur le filet.
Assaisonnez le second filet et posez-le sur le premier (chair contre chair) en le plaçant tête-bêche, c'est-à-dire la partie la plus large sur la partie la plus étroite. Roulez ensemble pour former un cylindre régulier et ficelez-le à la manière d'un rôti tout les 2 cm. Placez au frais 2 heures.
Faites chauffer le vin de cuisson des champignons avec la dernière échalote hachée et faites réduire presque à sec. Incorporez le beurre par petites parcelles et montez la sauce au fouet. Rectifiez l'assaisonnement en sel et poivre et un trait de jus de citron.
Coupez le sandre en tranches épaisses et faites-les cuire à la poêle dans l'huile d'olive 3 minutes sur chaque face. Saupoudrez d'un peu de sel et poivre et de quelques sommités de thym.
Servez les noisettes au centre des assiettes entourées de mousserons et nappées de beurre blanc parfumé aux champignons.

Conseils : vous pouvez vous servir d'une feuille de papier sulfurisée pour rouler les filets et les maintenir ensemble, il suffit de l'enlever après cuisson des noisettes.
À accompagner d'un blanc demi-sec comme un montlouis, ou, pour un choix plus prestigieux, un hermitage blanc.

Salade de rougets-barbets et tagliatelles de courgettes à la vinaigrette de tomate

Pour 4 personnes

Temps de préparation : 20 minutes
Temps de cuisson : 40 minutes

1 tomate bien mûre
2 courgettes
15 cl d'huile d'olive
12 petits filets de rougets-barbets
1 cuillerée à soupe de vinaigre balsamique
1 cuillerée à soupe de jus de citron
2 cuillerées à soupe de basilic ciselé
1 cuillerée à soupe de persil ciselé
1 cuillerée à soupe de pignons
Quelques feuilles de basilic
Fleur de sel, poivre du moulin

Incisez la tomate en croix, plongez-la 15 secondes dans de l'eau bouillante, pelez-la et épépinez-la. Coupez la chair en petits dés.
À l'aide d'un couteau économe ou d'un éplucheur, levez des bandes très fines de courgette. Retaillez ces bandes en tagliatelles et déposez-les dans le panier d'un cuit-vapeur. Faites-les cuire pendant 3 ou 4 minutes pour qu'elles restent croquantes.
Faites chauffer 3 cuillerées à soupe d'huile dans une poêle anti-adhésive et saisissez les filets de rougets à feu moyen pendant 3 ou 4 minutes. Réservez-les sur un papier absorbant. Déglacez la poêle avec le vinaigre, le jus de citron et les dés de tomate. Versez dans un bol et ajoutez le reste d'huile et les herbes ciselées.
Faites un nid de tagliatelles au centre des assiettes et posez dessus 3 filets de rougets. Arrosez de vinaigrette de tomate, assaisonnez de fleur de sel et de poivre du moulin. Parsemez de pignons et de quelques feuilles de basilic.

Conseils : si vous voulez préserver la jolie couleur rouge de la peau, faites cuire les rougets du côté chair pendant 3 minutes et passez-les 1 minute sous le grill du four.
À associer avec un blanc sec de Provence comme un cassis.

Bar rôti et coulis de ratatouille

Pour 4 personnes

Temps de préparation : 15 minutes
Temps de cuisson : 25 minutes

1 oignon
2 poivrons
1 aubergine
2 branches de céleri
2 courgettes
2 tomates
10 cl d'huile d'olive
Quelques brindilles de thym
1 feuille de laurier
Les filets de 2 petits bars de ligne
Le jus de 1 citron
10 cl de vin blanc
50 g de beurre
Sel, poivre du moulin

Lavez les légumes et taillez-les en brunoise. Faites-les fondre doucement dans 5 cl d'huile en commençant par les oignons et les poivrons, puis l'aubergine, le céleri et enfin les courgettes et les tomates. Assaisonnez de sel et poivre et parsemez de brindilles de thym et d'une feuille de laurier.
Faites chauffer le reste de l'huile dans une poêle anti-adhésive et saisissez les filets, côté peau, à feu très vif pendant 5 minutes. Retournez les filets, déglacez la poêle avec la moitié du jus de citron et le vin blanc.
Laissez cuire 1 minute, couvrez et coupez le feu. Laissez étuver 3 minutes.
Récupérez le jus de cuisson (en laissant les poissons au chaud) et versez-le dans le bol d'un mixeur avec 6 cuillerées à soupe de ratatouille. Réduisez en coulis et passez au chinois en pressant bien avec une spatule. Montez la sauce au fouet en incorporant, sur le feu, le beurre en parcelles. Rectifiez l'assaisonnement en sel et poivre et ajoutez le reste de jus de citron.
Déposez 2 cuillerées de ratatouille au centre des assiettes, dressez dessus les filets de bars et entourez d'un cordon de sauce.

Conseil : à boire avec un blanc sec aromatique, un coteaux du Languedoc la clape, ou, pour un rouge assez léger et souple comme un saint-joseph.

Pavé de saumon au gros sel et chartreuse de choux

Pour 4 personnes

Temps de préparation : 30 minutes
Temps de cuisson : 40 minutes

4 pavés de saumon
5 cl d'huile d'olive
1 citron
400 g de chou-fleur
400 g de brocolis
150 g de petits pois
1 œuf
10 cl de crème fraîche
50 g de beurre
Gros sel
Sel, poivre du moulin

Enduisez la peau des saumons avec un peu d'huile d'olive et saupoudrez-la de gros sel. Réservez.
Faites cuire les têtes de chou-fleur dans de l'eau citronnée pendant environ 10 minutes. Rafraîchissez-les et égouttez-les. Faites cuire les têtes de brocolis et les petits pois de la même manière pendant 6 à 7 minutes.
Battez l'œuf dans un bol avec la crème et assaisonnez de sel et poivre.
Préchauffez le four à 180°C (th. 6).
Faites une couche bien serrée de chou-fleur au fond d'un petit moule à cake beurré. Assaisonnez de sel et poivre. Écrasez le reste de chou-fleur à la fourchette et mélangez avec la moitié du mélange crème/œuf. Étalez sur le chou-fleur, lissez avec une spatule et faites une couche de petits pois dessus.
Procédez de la même manière avec les brocolis et le reste de crème.
Faites cuire au four pendant 20 minutes au bain-marie.
Cinq minutes avant de servir, posez les pavés, côté peau, dans une poêle anti-adhésive et faites-les cuire à feu vif dans le reste d'huile pendant 4 minutes.
Tournez-les et laissez cuire 30 secondes. Sortez la poêle du feu et réservez, à couvert, le temps de couper la chartreuse de choux.
Dressez dans des assiettes chaudes des tranches de chartreuse, puis les pavés de saumon grillés. Arrosez d'un peu de beurre chaud et d'un trait de citron.

Conseil : à boire avec un blanc des coteaux de Provence ou un tavel.

Tian de thon frais, courgettes et tomates au parmesan

Pour 4 personnes

Temps de préparation : 20 minutes
Temps de cuisson : 20 minutes

1 poivron jaune
1 poivron rouge
2 petites courgettes
2 tomates
600 g de steak de thon
10 cl d'huile d'olive
1 gousse d'ail
10 cl de vin blanc
100 g de parmesan
Quelques branches de thym
Fleur de sel, poivre du moulin

Fendez les poivrons en deux et épépinez-les. Lavez les courgettes et levez des bandes de peau avec un économe pour leur donner une jolie couleur. Lavez les tomates. Coupez les steaks de thon en lamelles épaisses.
Faites sauter les poivrons et les courgettes à l'huile d'olive dans une poêle anti-adhésive jusqu'à ce qu'ils soient dorés, mais encore croquants. Réservez-les.
Préchauffez le four à 210 °C (th. 7).
Frottez des petits plats à gratin ronds ou ovales avec la gousse d'ail fendue. Remplissez-les en alternant, en couleur, les couches de légumes sautées avec des tranches de tomates et de poisson cru. Mouillez avec le vin blanc, puis glissez entre chaque couche un peu de parmesan râpé qui liera le tout à la cuisson.
Arrosez généreusement avec l'huile d'olive de la cuisson, puis assaisonnez de fleur de sel et de moulin à poivre. Parsemez de brindilles de thym.
Glissez au four, recouvert d'un papier d'aluminium, pour 10 minutes de cuisson. Découvrez, parsemez du reste de parmesan et finissez la cuisson pendant 5 minutes.
Servez dans les plats à gratin ou démoulez précautionneusement dans des assiettes chaudes.
Arrosez de jus de cuisson et décorez de brindilles de thym.

Conseil : pour ce plat de la mer aux saveurs méditerranéennes, essayez un patrimonio de Corse en rouge ou en rosé.

Brandade de Nîmes

Pour 4 personnes

Temps de préparation : 20 minutes
Temps de dessalage : 24 heures
Temps de cuisson : 25 minutes

1,2 kg de morue salée
20 cl de lait
35 cl d'huile d'olive
Le jus de 1/2 citron
1 pincée de noix muscade
100 g d'olives noires
Sel, poivre blanc

Rincez la morue sous l'eau froide. Mettez-la à tremper côté peau au-dessus pour permettre au sel de se déposer au fond de l'eau dans un grand récipient d'eau froide pendant 24 heures en changeant l'eau 2 à 3 fois.
Dans une grande casserole, disposez la morue égouttée et coupée en morceaux (peau vers le bas). Couvrez-les d'eau froide. Portez à ébullition à feu doux. Laissez cuire à petits frémissements pendant 10 minutes. Égouttez les morceaux. Retirez la peau et les arêtes en effeuillant la morue.
Chauffez séparément le lait et l'huile dans 2 petites casseroles. Versez un peu d'huile chaude dans une cocotte. Ajoutez la morue effeuillée, mélangez à la spatule jusqu'à obtenir une consistance pâteuse.
Placez la cocotte sur feu doux et versez en alternance l'huile et le lait. Battez-les comme pour une mayonnaise pendant 10 minutes environ.
Lorsque le mélange est bien crémeux, assaisonnez de jus de citron, d'une pointe de muscade et de poivre blanc. Rectifiez l'assaisonnement en sel.
Garnissez d'olives noires avant de servir.

Conseils : si vous conservez la peau de la morue, vous obtiendrez une brandade moins blanche, mais plus parfumée. Incorporez une pomme de terre bouillie pour lier plus facilement la brandade.
À boire, naturellement avec un costières de Nîmes blanc, voire un rosé pour sa fraîcheur face à cette recette solide !

Mouclade à la pointe de curry

Pour 4 personnes

Temps de préparation : 30 minutes
Temps de cuisson : 20 minutes

4 litres de moules de bouchot
15 cl de vin blanc sec
1 gousse d'ail
1 bouquet garni
4 échalotes
40 g de beurre
20 g de farine
4 cuillerées à soupe de crème épaisse
1 pincée de curry
Sel, poivre du moulin

Grattez et rincez les moules plusieurs fois sous l'eau fraîche. Mettez-les dans un faitout avec le vin blanc, la gousse d'ail pelée et écrasée et le bouquet garni. Couvrez et faites ouvrir les moules à feu vif. Laissez un peu refroidir, puis ôtez une coquille à chaque moule. Rangez les coquilles contenant les moules dans un grand plat à four, ou directement dans la lèche-frite. Calez-les bien entre elles.
Préchauffez le four à 150 °C (th. 5).
Filtrez le jus de cuisson et réservez-le. Pelez et hachez les échalotes. Faites fondre le beurre dans une casserole. Mettez les échalotes à revenir doucement, puis jetez la farine, remuez énergiquement avec un fouet et versez petit à petit le jus de cuisson des moules.
Remuez la sauce sur feu doux jusqu'à ce qu'elle « nappe » le fouet. Ajoutez la crème et le curry, remuez à nouveau. Répartissez la sauce sur les moules et faites réchauffer 10 minutes au four. Servez très chaud.

Conseils : ne mettez pas trop de sauce sur les moules, servez le reste en saucière et accompagnez ce plat de riz blanc. Vous pouvez aussi utiliser des petits plats à four individuels.
À boire avec un blanc sec et fruité comme un muscadet de Sèvres-et-Maine.

Dos de morue rôti au tabac de cuisine

Pour 4 personnes

Temps de préparation : 15 minutes
Temps de cuisson : 25 minutes

25 g de trompettes des morts séchées
(à défaut, de morilles ou de cèpes)
1 botte de carottes fanes
1 botte de navets fanes
Quelques branches de céleri
50 g de beurre
5 cl d'huile d'olive
10 cl de vin blanc
4 pavés de cabillaud sans peau
Le jus de 1/2 citron
Sel, poivre du moulin

Hachez les champignons grossièrement au couteau ou au mixeur pour obtenir l'apparence de brins de tabac.
Faites cuire les légumes pelés dans un cuit vapeur pendant 8 minutes pour les garder croquants.
Préchauffez le four à 210 °C (th. 7).
Faites fondre le beurre dans une poêle jusqu'à ce qu'il soit mousseux. Saisissez les pavés de cabillaud 30 secondes sur chaque face pour resserrer la chair, puis posez-les dans un plat à four graissé avec l'huile d'olive. Parsemez les pavés « tabac de cuisine », assaisonnez-les de sel et poivre et mouillez le plat avec le vin blanc.
Faites cuire pendant 12 à 15 minutes suivant l'épaisseur.
Pendant ce temps, finissez la cuisson des légumes au beurre dans la poêle à feu doux.
En fin de cuisson, arrosez les pavés avec le jus de cuisson du plat pour réhydrater les champignons.
Dressez les pavés et les légumes dans des assiettes chaudes. Liez les deux jus de cuisson avec un trait de citron et faites réduire fortement quelques secondes avant de napper les assiettes.

Conseil : un accord de base avec un entre-deux-mers ou un bergerac sec et un accord supérieur avec un châteauneuf-du-pape blanc.

Aile de raie au jus ravigote

Pour 4 personnes

Temps de préparation : 15 minutes
Temps de cuisson : 20 minutes

1 botte de poireaux
1 œuf dur
2 cuillerées à soupe de câpres
4 cornichons
1 botte d'herbes (cerfeuil, ciboulette, persil)
3 cl de vinaigre de Xérès
1 cuillerée à soupe de moutarde en grains
15 cl d'huile d'olive
1 sachet de court-bouillon
4 portions de 200 g d'aile de raie pelée
Sel, poivre du moulin

Raccourcissez les poireaux 2 cm au-dessus du vert et lavez-les à grande eau. Faites-les cuire dans l'eau bouillante salée jusqu'à ce qu'ils soient tendres. Égouttez-les bien et réservez-les au chaud.

Hachez l'œuf dur, les câpres et les cornichons. Lavez les herbes et ciselez-les finement. Réunissez les condiments dans un bol.

Préparez une vinaigrette en faisant fondre une pincée de sel dans le vinaigre, ajoutez la moutarde en grains, quelques tours de moulin à poivre et enfin l'huile en filet.

Avec la moitié de la vinaigrette, arrosez les poireaux tièdes et mélangez le reste avec les condiments.

Préparez le court-bouillon et portez-le à ébullition. Réduisez le feu pour obtenir une petite ébullition et faites pocher les ailes de raie pendant 8 minutes. Prélevez 3 cuillerées à soupe de fond de cuisson et ajoutez-les à la ravigote.

Dressez un nid de poireaux vinaigrette au centre de l'assiette, posez dessus une aile de raie égouttée et nappez-la de jus ravigote. Servez tiède.

Conseil : à déguster avec un blanc sec comme un sauvignon de Touraine ou avec un tokay d'Alsace pinot gris.

Effeuillé de haddock aux petits pois et à la crème à l'oseille

Pour 4 personnes
Temps de préparation : 20 minutes
Temps de cuisson : 20 minutes

4 oignons nouveaux
400 g de petits pois écossés
40 g de beurre
25 cl de lait
800 g de haddock
1 bouquet d'oseille
15 cl de crème liquide
Sel, poivre du moulin

Portez à ébullition une grande casserole d'eau salée et plongez-y les oignons 5 minutes, puis ajoutez les petits pois et faites cuire encore 5 à 6 minutes. Égouttez les légumes et rafraîchissez-les immédiatement dans l'eau glacée pour leur conserver une jolie couleur verte et de la fermeté.
Essorez-les et versez-les dans une petite cocotte en terre ou en cuivre avec le beurre et 1/2 verre d'eau. Quand les pois sont bien chauds, assaisonnez-les de sel et de poivre.
Faites chauffer 30 cl d'eau et le lait dans une casserole. Quand le liquide frémit, faites pocher le haddock pendant 12 minutes. Sortez la casserole du feu et laissez le poisson dans son jus.
Faites blanchir l'oseille lavée 1 minute à grande eau bouillante, rafraîchissez-la dans l'eau froide et égouttez. Hachez-la finement et faites-la cuire dans la crème liquide à petite ébullition pour la faire réduire un peu. Assaisonnez de sel et poivre.
Dressez les petits pois dans les assiettes chaudes, effeuillez le haddock dessus et nappez de crème d'oseille. Décorez de ciselure d'oseille.

Conseil : à déguster avec un pouilly fumé ou un bon sancerre.

Filets de carrelets au beurre noisette

Pour 4 personnes
Temps de préparation : 20 minutes
Temps de cuisson : 35 minutes

1 chou rouge
5 cl d'huile d'olive
5 cl de vin blanc
200 g de beurre
1 cuillerée à soupe de farine
4 filets de carrelet de 200 g
50 g de noisettes concassées
Le jus de 1 citron
Sel, poivre du moulin

Émincez le chou rouge en fines lanières, faites-le revenir à feu doux dans l'huile d'olive en cocotte pendant 30 minutes avec sel et poivre. Ajoutez un trait de vin blanc en cours de cuisson pour gardez un peu de liquide dans le fond de la cocotte.
Faites blondir 150 g de beurre dans une petite casserole à feu doux jusqu'à ce qu'il prenne une jolie couleur noisette. Passez au chinois pour enlever les impuretés et réservez au chaud.
Préchauffez le four à 250 °C (th. 8).
Farinez légèrement les filets et faites-les dorer dans une poêle anti-adhésive sur leur face intérieure pendant 3 minutes dans le reste de beurre. Retournez-les et passez-les sous le grill du four parsemés des noisettes concassées pendant 3 minutes.
Récupérez le jus de cuisson des filets, ajoutez le jus de citron et réservez 4 cuillerées à soupe. Versez le reste dans la cocotte de chou et mélangez.
Dressez le chou au centre de l'assiette, arrosez-le de sa cuisson et du jus réservé, posez dessus le filet de carrelet et nappez-le de beurre noisette.

Conseil : à boire avec un mâcon ou un chardonnay.

Gougeonnettes de merlan aux aubergines

Pour 4 personnes
Temps de préparation : 20 minutes
Temps de cuisson : 40 minutes

2 poireaux
50 g de beurre
10 cl d'huile d'olive
2 petites aubergines
1 tomate
800 g de petits filets de merlans
5 cl de vin blanc
Fleur de sel, sel, poivre du moulin

Coupez les poireaux en tronçons de 5 cm, puis en minces filaments. Lavez-les à grande eau et égouttez-les à fond. Faites-les suer à la poêle dans 30 g de beurre et 1 cuillerée à soupe d'huile. Assaisonnez-les et réservez.
Coupez les aubergines en gros dés de 2 cm de côté. Pelez la tomate et épépinez-la. Versez le reste d'huile dans une poêle anti-adhésive et faites cuire tout doucement les dés d'aubergine et de tomate.
Préchauffez le four à 180 °C (th. 6).
Fendez les filets en deux pour obtenir des gougeonnettes et enroulez-les sur elles-mêmes. Posez-les dans un plat à four et arrosez-les de beurre fondu. Assaisonnez de fleur de sel et de poivre du moulin et faites cuire au four pendant 6 minutes.
Dressez les assiettes très chaudes : faites un dôme de fondue de poireaux au centre et disposez autour les gougeonnettes de merlan. Déglacez le plat de cuisson avec le vin blanc, faites bouillir 1 minute et versez sur les poireaux.
Répartissez harmonieusement les dés d'aubergine confits et écrasez grossièrement à la fourchette les dés de tomates. Décorez d'un cordon d'huile « tomatée » autour des gougeonnettes.

Conseil : avec cette recette aux parfums de Provence, un blanc sec ou un rosé sec comme un côtes-de-Provence ou un tavel.

Filets de soles au vin rouge

Pour 4 personnes
Temps de préparation : 20 minutes
Temps de cuisson : 35 minutes

1 carotte
300g de petits champignons de Paris
50 cl de vin rouge
1 cuillerée à soupe de fond de volaille
1 botte d'oignons nouveaux
120 g de beurre
4 soles portions pelées
120 g de riz
1 cuillerée à soupe de farine
Quelques brins de persil plat
Sel, poivre du moulin

Épluchez la carotte et coupez-la en fine brunoise. Nettoyez les champignons et coupez-les en quartiers.
Versez les champignons et les dés de carotte dans une casserole avec 20 g de beurre. Faites revenir 5 minutes, puis mouillez avec le vin rouge et faites chauffer doucement. Réglez le feu pour obtenir une petite ébullition et laissez réduire de moitié. Ajoutez le fond de volaille en poudre et assaisonnez de sel et poivre. Réservez au chaud.
Coupez les oignons nouveaux en deux et faites-les étuver doucement dans 30 g de beurre jusqu'à ce qu'ils soient tendres. Faites cuire le riz blanc.
Préchauffez le four à 210 °C (th. 7).
Poudrez légèrement les soles de farines et tapotez-les pour enlever l'excédent. Faites chauffer 30 g de beurre dans une poêle et quand il est mousseux, faites dorer les soles 3 minutes de chaque côté. Couvrez-les d'un papier d'aluminium et glissez la poêle au four pour 4 minutes.
Dressez les soles dans des assiettes chaudes et déglacez la poêle avec la sauce au vin. Montez rapidement au fouet avec le reste de beurre et rectifiez l'assaisonnement en sel et poivre.
Entourez les soles de riz blanc moulé, d'oignons fondants et nappez le tout de sauce au vin rouge. Parsemez de persil ciselé.

Conseils : si le manche de votre poêle est en plastique, emballez-le dans du papier d'aluminium. À déguster avec un bourgogne rouge comme un santenay ou un pernand-vergelesses.

LES VIANDES

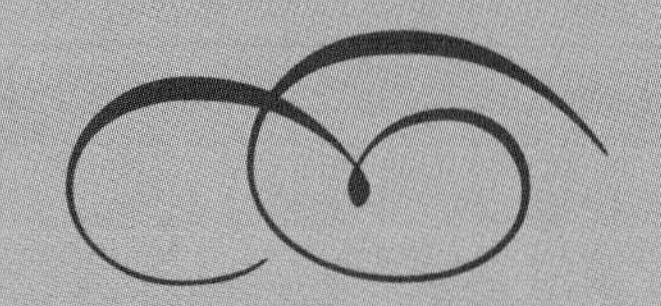

Croustillants de pieds de cochon truffés

Pour 4 personnes

Temps de préparation : 1 heure
Temps de réfrigération : 24 heures
Temps de cuisson : 4 h 20

1 poireau
1 carotte
3 branches de céleri
1 bouquet garni
1 oignon
3 clous de girofle
4 pieds de cochon blanchis
1 truffe
120 g de beurre
1 verre de madère
150 g de chair de veau hachée
Crépine
4 feuilles de brick
Sel, poivre du moulin

Lavez les légumes et pelez la carotte et le céleri. Parez le poireau. Détaillez en julienne la valeur de 2 cuillerées à soupe de chaque légume et versez le reste et les pluches dans un faitout rempli d'eau froide salée. Ajoutez le bouquet garni, l'oignon garni de clous de girofle et les pieds de porc blanchis et brossés, attachés par deux.
Portez à ébullition et faites cuire pendant 4 heures à petits frémissements.
Émincez la truffe en julienne et faites-la fondre doucement avec 40 g de beurre dans une poêle avec les légumes émincés et la moitié du madère jusqu'à ce que les légumes soient tendres et le liquide très réduit. Réservez.
Laissez refroidir dans le bouillon avant de les égoutter et de les couper en deux. Désossez entièrement les pieds et hachez-les grossièrement au couteau. Mélangez à la spatule avec la chair de veau et le contenu de la poêle. Assaisonnez de sel et de poivre et divisez la farce en 4 parts.
Posez la crépine bien rincée sur le plan de travail et emballez les morceaux de farce. Réservez 24 heures au frais pour laisser à la truffe le temps d'imprégner les pieds de son parfum.
Préchauffez le four à 210 °C (th. 7).
Faites-les simplement rôtir dans un peu de bon beurre à feu doux pendant 15 minutes, puis emballez-les dans une feuille de brick et finissez la cuisson au four. Déglacez la poêle avec le reste de madère, montez la sauce avec le beurre froid et donnez un tour de moulin à poivre.

Conseil : ce plat riche en saveurs nécessite un vin puissant et capiteux comme un cornas à qui vont nos suffrages.

Jambonnettes de volaille au vinaigre et mange-touts

Pour 4 personnes

Temps de préparation : 30 minutes
Temps de réfrigération : 15 minutes
Temps de cuisson : 30 minutes

1 carotte
2 branches de céleri
4 cuisses de poulet fermier
10 cl de crème fraîche
1 blanc d'œuf
100 g de beurre
10 cl de vinaigre de Xérès
1 cuillerée à soupe de fond de volaille
600 g de haricots mange-tout
Paprika
Sel, poivre du moulin

Pelez la carotte et effilez les branches de céleri. Coupez-les en petits dés et faites-les blanchir 4 minutes dans l'eau bouillante salée.
Désossez partiellement les cuisses de poulet en enlevant l'os du haut de cuisse. Prélevez environ 150 g de chair sur la partie désossée sans laisser la peau à nu – laissez suffisamment de chair sur la peau. Versez la chair de poulet dans le bol d'un mixeur et hachez quelques secondes. Ajoutez la crème et le blanc d'œuf, assaisonnez de sel et de poivre et mixez rapidement pour ne pas échauffer la chair. Mélangez dans une jatte avec les dés de légumes refroidis et réservez au frais 15 minutes.
Étalez la préparation à l'intérieur des cuisses, rabattez la peau en leur donnant une forme de jambonnette bien ronde et enroulez-les dans du film alimentaire pour les maintenir. Serrez avec une ficelle. Faites-les cuire à la vapeur pendant 12 minutes pour les raidir.
Préchauffez le four à 210 °C (th. 7).
Déposez les jambonnettes dans un plat à four, enduisez-les de 20 g de beurre et saupoudrez d'un peu de paprika. Versez le vinaigre dans le plat avec le fond de volaille dilué dans 15 cl d'eau chaude. Faites cuire au four pendant 15 minutes.
Réservez les cuisses au chaud, faites réduire le fond de cuisson et montez-le avec le reste de beurre. Servez les jambonnettes tranchées en rondelles nappées de sauce au vinaigre avec des mange-touts cuits à l'eau salée croquants et simplement relevés d'une noix de beurre.

Conseil : à boire avec un rouge léger et fruité comme un saumur ou côtes-du-Ventoux.

Pot-au-feu de joue de bœuf

Pour 6 personnes

Temps de préparation : 30 minutes
Temps de cuisson : 3 heures

2 joues de bœuf
1 botte de carottes
1 poireau
1 oignon piqué de girofle
1 bouquet garni
1 botte de navets
4 branches de céleri
400 g de pommes de terre
2 os à moelle
50 g de beurre
1 pain de campagne
Quelques brins de persil plat
Sel, poivre du moulin

Posez les joues de bœuf dans un grand faitout, couvrez largement d'eau froide et salez modérément. Portez à ébullition et écumez le bouillon. Ajoutez alors 1 carotte en rondelles, 1 poireau, l'oignon piqué de girofle et le bouquet garni. Faites cuire pendant 2 h 30.
Pelez le reste de carottes et les navets et laissez un peu de tiges s'il s'agit de légumes fanes. Effilez les branches de céleri et coupez-les en grands tronçons.
À l'issue de la cuisson, enlevez les légumes du fond de cuisson et remplacez-les par les carottes, les navets et les branches de céleri. Après 10 minutes de reprise de l'ébullition, ajoutez les pommes de terre et les os à moelle et finissez la cuisson pendant environ 20 minutes.
Premier service : versez le bouillon de cuisson dans des bols et servez avec des tranches de pain de campagne grillées, garnies de lamelles de moelle pochée.
Deuxième service : égouttez les légumes et posez-les dans un plat chaud. Arrosez-les de beurre fondu pour qu'ils restent brillants. Coupez les joues de bœuf en tranches , dressez-les sur les légumes et parsemez de persil. Servez très chaud avec un assortiment de moutardes (en grains, de Dijon et verte) et une coupelle de fleur de sel.

Conseil : un accord avec un rouge léger comme un anjou ou un chinon pour ce plat mijoté.

Canard au pot et paquets de chou au foie gras

Pour 6 personnes

Temps de préparation : 40 minutes
Temps de repos : 24 heures
Temps de cuisson : 2 heures

1 carcasse de canard
2 magrets de canard
2 cuisses de canard
1 cou de canard farci (facultatif)
6 carottes
2 courgettes
6 navets
1 botte d'oignons nouveaux
2 branches de céleri
Noix muscade
10 feuilles de chou vert
400 g de foie gras de canard
3 branches de persil
Gros sel, poivre du moulin

La veille, préparez un bouillon avec la carcasse concassée et les parures des légumes.
Mouillez d'eau de manière à obtenir environ 3 litres de bouillon et faites cuire 30 minutes. Couvrez de gros sel les magrets et les cuisses dans une jatte. Réservez au frais.
Le jour même, filtrez le bouillon et faites-le chauffer. Plongez-y le cou farci et les morceaux de viande rincés. Faites cuire 1 heure à petite ébullition. Ajoutez les carottes, les courgettes et les navets détaillés en navettes, puis les oignons nouveaux raccourcis et les branches de céleri en tronçons. Salez, poivrez, ajoutez une pincée de noix muscade. Laissez cuire encore 30 minutes.
Lavez les feuilles de chou et blanchissez-les à l'eau bouillante 4 minutes. Égouttez-les et rafraîchissez-les dans l'eau glacée avant de les essorer fortement entre vos mains.
Détaillez le foie gras en dés de 40 g environ, salez et poivrez. Posez un morceau de foie gras dans chaque feuille de chou, repliez-la et attachez-la à l'aide d'une ficelle. Plongez les feuilles de chou farcies dans le bouillon de pot-au-feu bouillant et faites-les cuire 6 minutes.
Disposez le pot-au-feu de canard sur un grand plat en intercalant la viande, les légumes et les feuilles de chou farcies au foie gras. Arrosez de bouillon, parsemez de persil ciselé et servez immédiatement.

Conseil : un accord classique avec le canard gras : un madiran généreux et charpenté.

Filets mignons marinés à l'huile au basilic

Pour 4 personnes

Temps de préparation : 30 minutes
Temps de marinade : 6 heures
Temps de cuisson : 45 minutes

1 beau filet mignon de porc
15 cl d'huile d'olive
500 g de pommes de terre
50 g de beurre
10 cl de crème fraîche
Fleur de sel
Noix muscade
1 bouquet de basilic
1 poivron
1 oignon
1 courgette
2 branches de céleri
Thym
10 cl de vin blanc
50 g d'olives noires
Sel, poivre du moulin

Tranchez (ou faites trancher par le boucher) le filet mignon en 4 fines escalopes dans la longueur. Assaisonnez-les de sel et poivre et faites-les mariner environ 6 heures dans l'huile.
Faites cuire les pommes de terre à l'eau salée jusqu'à ce qu'elles soient tendres. Pelez-les à chaud et écrasez-les à la fourchette avec le beurre et la crème. Assaisonnez de fleur de sel, de poivre et de noix muscade.
Égouttez les escalopes, assaisonnez-les de sel et poivre et couvrez-les, sur une face, de feuilles de basilic. Roulez les escalopes en forme de boudin et maintenez-les avec un tour de ficelle ou un pic en bois.
Détaillez le poivron, l'oignon, la courgette et les branches de céleri en petits dés et faites-les fondre doucement dans l'huile de macération. Assaisonnez de sel, de poivre et de thym ciselé.
Faites cuire les mignons de porc dans un peu d'huile de marinade à la poêle en les tournant en tout sens pendant 15 minutes. Déglacez avec le vin blanc, faites réduire quelques instants et ajoutez 2 cuillerées de basilic ciselé.
Servez les mignons tranchés accompagnés de purée parsemée d'éclats d'olives et de 1 cuillerée à soupe de fine ratatouille préalablement préparée. Nappez de sauce réduite au basilic et servez très chaud.

Conseil : pour cette recette aux accents méridionaux, choisissez un côtes-de-Provence, un gigondas ou encore, un rouge de la cave coopérative de Valréas.

Lasagnes d'andouillettes à la graine de moutarde

Pour 4 personnes

Temps de préparation : 20 minutes
Temps de repos : 1 heure
Temps de cuisson : 20 minutes

2 poireaux
100 g de beurre
1 cuillerée à soupe de crème fraîche
4 andouillettes
10 cl de vin blanc
2 cuillerées à soupe de moutarde en grains
20 cl de crème liquide
1 paquet de pâte à lasagne
Sel, poivre du moulin

Lavez les poireaux, coupez-les en tronçons et émincez-les en fine julienne. Faites-les fondre très doucement dans une poêle anti-adhésive avec 50 g de beurre. Quand ils sont tendres, assaisonnez-les et ajoutez la crème fraîche.

Pendant ce temps, faites doucement cuire les andouillettes dans le reste de beurre jusqu'à ce qu'elle soient dorées. Réservez-les dans une assiette, coupez-les en tranches et maintenez-les au chaud.

Déglacez la poêle avec le vin blanc et faites réduire pendant 5 minutes. Ajoutez la moutarde en grains et la crème liquide. Portez à ébullition et laissez cuire jusqu'à consistance nappante de la sauce. Assaisonnez de sel et poivre.

Faites cuire 12 feuilles de pâte dans l'eau bouillante salée pendant environ 7 minutes (suivre les temps de cuisson préconisés par le fabricant selon les marques) jusqu'à ce qu'elles soient souples, mais encore *al dente.*

Préchauffez le four à 150 °C (th. 5).

Égouttez les feuilles de pâte et posez un rectangle sur une assiette chaude. Déposez dessus la moitié d'une andouillette en rondelles, ajoutez 1 cuillerée de fondue de poireaux et nappez d'un peu de sauce. Renouvelez cette opération et finissez avec une feuille de lasagne. Nappez d'un peu de sauce et passez les assiettes quelques minutes au four pour qu'elles soient très chaudes.

Conseils : faites cuire plus de feuilles de lasagnes que nécessaire pour pouvoir les remplacer, celles-ci étant très fragiles.
L'accord traditionnel de l'andouillette et du chablis ne se dément pas pour cette recette.

Émincé de rognons de veau au fondant de carottes

Pour 4 personnes

Temps de préparation : 20 minutes
Temps de cuisson : 40 minutes

500 g de carottes
4 échalotes
3 cuillerées à soupe de graisse d'oie
10 cl de crème fraîche
10 cl de lait
2 œufs
1 cuillerée à café de cumin en poudre
2 rognons de veau
10 cl de vin blanc
10 cl de vermouth
1 cuillerée à soupe de moutarde en grains
50 g de beurre
Sel, poivre du moulin

Épluchez les carottes et émincez-les, pelez les échalotes et coupez-les en deux. Faites-les fondre dans 2 cuillerées à soupe de graisse d'oie et 1/2 verre d'eau pendant environ 20 minutes, jusqu'à ce que les carottes et les échalotes soient fondantes.
Préchauffez le four à 180 °C (th. 6).
Battez la crème, le lait et les œufs dans une jatte. Assaisonnez de sel, de poivre, parfumez de cumin et ajoutez les carottes. Mélangez délicatement et versez dans des moules graissés. Faites cuire au four pendant 20 minutes.
Pendant ce temps, parez les rognons de veau et coupez-les en tranches minces. Essuyez-les et faites-les sauter rapidement à feu vif dans le reste de graisse d'oie, 1 minute sur chaque face. Réservez-les dans une assiette et déglacez la poêle avec le vin blanc et le vermouth. Faites réduire 4 à 5 minutes, puis ajoutez la moutarde en grains et le jus recueilli dans l'assiette des rognons. Faites bouillir encore quelques instants jusqu'à ce que la sauce soit bien liée et déposez les tranches de rognons dans la poêle pour les réchauffer.
Dressez les fondants de carottes dans les assiettes chaudes et répartissez les tranches de rognons réchauffés. Donnez un bouillon à la sauce, montez-la avec le beurre en parcelles et nappez les assiettes. Servez sans attendre.

Conseil : un accord de base avec un saint-chinian ou un fitou et un accord supérieur avec un pessac-léognan ou un moulin-à-vent.

Carré d'agneau aux légumes confits

Pour 4 personnes

Temps préparation : 25 minutes
Temps de cuisson : 1 heure

3 carottes
1 aubergine
1 fenouil
2 courgettes
2 poivrons
3 gousses d'ail
1 botte d'oignons nouveaux
25 cl d'huile d'olive
Quelques brins de thym
2 carrés d'agneau de 7 côtes
Fleur de sel
Sel, poivre du moulin

Pelez les carottes, lavez et séchez les autres légumes. Laissez les gousses d'ail en chemise et coupez les oignons en deux, détaillez les autres légumes en lamelles larges et un peu épaisses. Versez le tout dans une sauteuse à fond épais et faites-les revenir tout doucement dans l'huile d'olive sans les colorer pendant 10 minutes. Couvrez la sauteuse et laissez compoter à feu doux pendant 30 minutes jusqu'à ce que les légumes soient tendres. Assaisonnez de sel et de poivre, parsemez de thym ciselé et laissez-les refroidir dans leur jus.
Préchauffez le four à 240 °C (th. 8).
Badigeonnez les carrés d'huile d'olive de la cuisson des légumes, parsemez de brindilles de thym et entaillez légèrement au couteau le gras qui protège le carré.
Faites rôtir au four pendant 15 à 20 minutes.
Servez les carrés détaillés en côtelettes avec les légumes confits froids ou chauds simplement relevés d'un peu de fleur de sel et de quelques fleurs de thym.

Conseils : à associer, naturellement avec un cidre, un pommeau ou, plus fort, un bon calvados. Accord parfait avec un médoc, mais un vin plus léger comme un graves ou un buzet ira très bien.

Rôti de veau en cocotte à l'ancienne

Pour 8 personnes

Temps de préparation : 20 minutes
Temps de cuisson : 2 h 30

3 gros oignons
800 g de carottes
250 g de couennes de porc fraîches
1 quasi de veau
1 cuillerée à soupe de fond de veau en poudre
35 cl de vin blanc sec
2 cuillerées à soupe de bon marc
1 bouquet garni
20 cl de crème fraîche
Sel, poivre du moulin

Pelez et émincez finement les oignons. Épluchez les carottes et coupez-les en rondelles.
Préchauffez le four à 210 °C (th. 7).
Choissez une cocotte pouvant aller au four et tapissez le fond de couennes de porc, côté gras contre la cocotte. Disposez un lit de rondelles d'oignons et de carottes mélangées sur la couenne, et posez la viande sur les légumes.
Enfournez 20 minutes sans couvrir en retournant la viande une fois à mi-rôtissage, sans la piquer.
Sortez la cocotte du four et baissez-le à 180 °C (th. 6).
Délayez le fond de veau dans 1/2 l d'eau bouillante. Versez le vin et le marc dans la cocotte, puis complétez avec le bouillon de veau pour que la viande soit juste recouverte. Salez, poivrez, ajoutez le bouquet garni. Couvrez la cocotte et glissez-la au four pour 2 heures.
Sortez la viande de la cocotte et réservez-la au chaud sous une feuille d'aluminium. Égouttez les légumes et tenez-les également au chaud.
Posez la cocotte sur le feu, faites un peu réduire le jus, puis liez-le avec la crème. Mélangez bien, vérifiez l'assaisonnement. Servez le veau tranché sur un lit de légumes, avec la sauce en saucière.

Conseils : la lenteur est toute la science de cette recette ! À défaut de cocotte en terre, utilisez un modèle en fonte. Choisissez un rouge corsé pour ce plat comme un santenay ou, en bordeaux, un saint-julien ou un saint-émilion.

Petit salé aux lentilles

Pour 8 personnes

Temps de préparation : 10 minutes
Temps de dessalage : 4 heures
Temps de cuisson : 3 heures

1,5 kg de palette demi-sel
2 petits jarrets de porc demi-sel
2 bouquets garnis
4 oignons
3 clous de girofle
2 carottes
1 branche de céleri
10 grains de poivre
500 g de lentilles vertes du Puy
2 gousses d'ail
200 g de poitrine fumée
40 g de beurre
Quelques brins de persil plat
Sel, poivre du moulin

Faites dessaler la palette et les jarrets dans un grand récipient d'eau froide pendant 4 heures en changeant l'eau 1 fois.
Rincez les viandes, mettez-les dans un faitout et couvrez largement d'eau froide. Portez à ébullition, écumez, puis ajoutez 1 bouquet garni, 1 oignon pelé et piqué de 2 clous de girofle, 1 carotte pelée et coupée en morceaux, la branche de céleri et les grains de poivre. Couvrez et laissez cuire 2 heures à feu doux.
Mettez les lentilles dans une casserole, couvrez-les d'eau froide et faites bouillir 2 minutes. Égouttez-les, remettez-les dans une casserole, couvrez-les d'eau froide, ajoutez le deuxième bouquet garni, 1 oignon pelé et piqué de 1 clou de girofle, 1 carotte épluchée et les gousses d'ail pelées. Salez, poivrez et laissez frémir pendant 45 minutes.
Pelez et hachez les 2 derniers oignons. Détaillez la poitrine fumée en lardons. Faites revenir les oignons et les lardons dans le beurre pendant 10 minutes. Ajoutez ensuite les lentilles égouttées (après avoir ôté la garniture aromatique). Salez, poivrez, mélangez doucement. Disposez les lentilles sur un grand plat de service chaud, ajoutez les viandes égouttées, parsemez de feuilles de persil et servez aussitôt.

Conseils : les lentilles doivent cuire à feu très doux et bien couvertes d'eau pour ne pas éclater et être fondantes. S'il vous reste des lentilles, vous pouvez les servir le lendemain, relevées d'une vinaigrette aux échalotes hachées.
À déguster avec un rouge rustique comme un fitou ou un bergerac.

Carré de porcelet rôti et laqué au miel et aux épices

Pour 4 personnes

Temps de préparation : 30 minutes
Temps de cuisson : 45 minutes

1 demi train de côtes de porcelet
80 g de beurre mou
Gros sel
1 oignon
1 carotte
10 cl de vin blanc
2 citrons
50 g de sucre
4 endives
10 cl de miel liquide
1 cuillerée à soupe de paprika
1 cuillerée à soupe de quatre-épices
1 cuillerée à soupe de sésame
Sel, poivre du moulin

Préchauffez le four à 210 °C (th. 7).
Enduisez la viande de 50 g de beurre et parsemez de gros sel. Pelez l'oignon et la carotte et émincez-les. Faites un lit de légumes dans un plat à four, mouillez avec 10 cl d'eau, le vin blanc et posez le porcelet sur les légumes. Laissez cuire pendant 45 minutes dans le bas du four en surveillant la coloration. Arrosez souvent la viande de son jus de cuisson.
Pendant ce temps, levez le zeste des citrons et taillez-les en fines lanières. Faites-les confire à feu très doux avec le jus de 1 citron, 5 cl d'eau et le sucre.
Enlevez le trognon des endives et supprimez les feuilles abîmées. Émincez-les en lanières et arrosez-les du jus du deuxième citron. Faites suer les endives à la poêle avec 30 g de beurre et 1 cuillerée à soupe de miel à feu très doux pendant 20 minutes à couvert. Salez et poivrez.
Mélangez le reste de miel et les épices dans un bol et badigeonnez-en régulièrement le porcelet au pinceau pendant les 15 dernières minutes de cuisson. Finissez la cuisson en parsemant de graines de sésame.
Séparez les côtes de porcelet en quatre morceaux, dressez-les dans les assiettes avec un peu de jus réduit et accompagnez-les de fondue d'endives et de citrons confits.

Conseil : à associer avec un rouge léger comme un saumur-champigny ou un beaujolais.

Tête de veau roulée, jus ravigote à la truffe, pommes vapeur

Pour 8 personnes
Temps de préparation : 30 minutes
Temps de dégorgement : 2 heures
Temps de macération : 24 heures
Temps de cuisson : 2 h 15

1 truffe
20 cl d'huile d'olive
1 tête de veau roulée comprenant la langue
30 cl de vin blanc
1 bouquet garni
1 oignon
4 clous de girofle
1 carotte
1 cuillerée à soupe de fond de veau en poudre
1 œuf
1 cuillerée à soupe de persil haché
1 cuillerée à soupe de ciboulette
1 cuillerée à soupe d'estragon ciselé
5 cl de vinaigre de Xérès
1 cuillerée à soupe de moutarde en grains
1,5 kg de pommes de terre fermes
Gros sel, grains de poivre
Sel, poivre du moulin

La veille, brossez soigneusement la truffe, séchez-la et coupez-la en lamelles. Faites-la macérer 24 heures dans l'huile d'olive dans un bol couvert d'un film.
Faites dégorger la tête de veau pendant 2 heures à l'eau froide, puis rincez-la. Posez-la dans un faitout, mouillez de vin blanc et couvrez largement d'eau froide.
Ajoutez le bouquet garni, l'oignon épluché piqué de 4 clous de girofle, la carotte émincée et le fond de veau. Assaisonnez de gros sel et de quelques grains de poivre. Portez à ébullition, écumez soigneusement, puis laissez cuire à petits frémissement pendant 2 heures. Faites durcir l'œuf dans ce bouillon pendant 10 minutes, écalez-le puis faites-le refroidir dans l'eau froide.
Versez les herbes hachées et le vinaigre de Xérès dans un bol. Assaisonnez et mélangez. Ajoutez la moutarde en grains, l'œuf dur haché et versez l'huile truffée en filet dessus.
30 minutes avant la fin de la cuisson, ajoutez les pommes de terre lavées dans le bouillon et faites-les cuire jusqu'à ce qu'elles soient tendres. Sortez la tête de veau, coupez-la en tranches épaisses répartissez-les dans des assiettes chaudes et garnissez de pommes de terre. Ajoutez une louche de bouillon dans la sauce et nappez les tranches de tête. Parsemez de persil ciselé et servez bien chaud.

Conseils : si vous utilisez une truffe de conserve, ne la faites pas macérer, mais versez le jus dans la ravigote avec le bouillon chaud.
À accompagner d'un blanc sec ou d'un rosé sec comme un bandol ou un lirac.

Gigot clouté d'amandes, purée à l'ancienne

Pour 6 personnes
Temps de préparation : 20 minutes
Temps de repos : 20 minutes
Temps de cuisson : 1 heure

1 gigot d'agneau d'environ 1,6 kg
250 g d'amandes entières mondées
60 g de beurre
6 tomates
Quelques brins de sarriette
4 gousses d'ail
1 cuillerée à soupe de fond de veau en poudre
40 g de pâte d'amande blanche
Sel, poivre du moulin

Pratiquez des incisions dans la chair du gigot avec la pointe d'un couteau et glissez-y la moitié des amandes.
Préchauffez le four à 210 °C (th. 7).
Faites fondre 30 g de beurre dans une cocotte en fonte et mettez le gigot à dorer doucement sur toutes ses faces.
Lorsqu'il est blond, ajoutez dans la cocotte les tomates coupées en deux, la sarriette, l'ail en chemise et le reste des amandes. Salez, poivrez et enfournez pour 45 minutes.
Mélangez le fond de veau en poudre à 15 cl d'eau bouillante.
Sortez le gigot de la cocotte et laissez-le reposer environ 20 minutes au chaud emballé dans une feuille d'aluminium. Pendant ce temps, remettez la cocotte sur feu très doux et délayez la pâte d'amande dans le jus de cuisson jusqu'à ce qu'un caramel blond se forme. Versez le fond de veau, faites réduire 10 minutes environ, puis passez la sauce au chinois dans une casserole. Portez sur le feu et montez la sauce au fouet en ajoutant le reste de beurre en parcelles. Rectifiez l'assaisonnement et servez le gigot tranché avec un peu de tomate réduite, une gousse d'ail en chemise et une purée de pommes de terre écrasées à la fourchette et montée au beurre.

Conseils : sortez le gigot du réfrigérateur au moins 1 heure avant de commencer la recette, pour que la viande soit à température ambiante au moment de la cuisson.
À associer avec un rouge chaleureux comme un pécharmant ou un buzet.

Jarret de veau braisé au zeste d'orange et haricots Soissons

Pour 4 personnes
Temps de préparation : 20 minutes
Temps de trempage : 2 heures
Temps de cuisson : 2 h 30

250 g de haricots de Soisson secs
1 bouquet garni
1 carotte
4 gousses d'ail
2 oignons
1 clou de girofle
60 g de beurre
3 branches de céleri
1 kg de jarret de veau tranché
1 cuillerée à soupe de farine
10 cl d'huile d'olive
4 tomates
10 cl de vin blanc
1 orange
1 cuillerée à soupe de sarriette ciselée
Sel, poivre du moulin

Faites tremper les haricots 2 heures dans l'eau froide. Jetez l'eau, rincez-les et versez-les dans un faitout. Couvrez largement d'eau froide, portez à ébullition et écumez. Ajoutez le bouquet garni, la carotte émincée en petits dés, 1 gousse d'ail pelée et 1 oignon pelé et piqué de 1 clou de girofle. Faites cuire à petit feu 2 heures à 2 h 30 jusqu'à ce que les haricots soient tendres, mais ne se défassent pas. En fin de cuisson, ajoutez 30 g de beurre et assaisonnez-les.
Effilez les branches de céleri et épluchez l'oignon. Émincez-les finement. Faites revenir les tranches de jarret légèrement farinées dans une cocotte avec l'huile d'olive et le reste de beurre. Quand elles sont bien dorées de toutes parts, remplacez-les par les légumes ciselés et faites-les suer 3 ou 4 minutes.
Replacez la viande dans la cocotte avec les tomates simplement coupées en deux et le reste des gousses d'ail en chemise. Déglacez avec le vin blanc et mouillez d'eau à hauteur. Couvrez et portez au four 1 h 30 en surveillant le niveau de jus.
Levez le zeste de l'orange, émincez-le en fines lanières et faites-le blanchir 30 secondes dans l'eau bouillante. Incorporez le zeste blanchi et la sarriette dans la cocotte en fin de cuisson.
Servez le jarret braisé garni des Soissons fondants et nappés du fond de cuisson au zeste d'orange.

Conseil : à savourer avec un rouge bien charpenté comme un madiran ou un cahors.

Tartare de bœuf et grosses frites au couteau

Pour 4 personnes
Temps de préparation : 20 minutes
Temps de cuisson : 15 minutes

1 kg de pommes de terre à chair ferme
Huile de friture
2 oignons nouveaux
800 g de bœuf haché dans le filet
3 cuillerées à soupe de persil ciselé
1 cuillerée à soupe de ciboulette ciselée
1 cuillerée à soupe d'estragon ciselé
2 cuillerées à soupe de câpres
1 cuillerée à soupe d'huile d'olive
1 cuillerée à soupe de Worcestershire sauce
4 œufs
Sel, poivre de Cayenne

Pelez les pommes de terre et coupez-les, au couteau, en forme de grosses frites. Plongez-les dans une bassine d'eau froide au fur et à mesure. Égouttez les frites et séchez-les parfaitement dans un linge.
Faites chauffer l'huile de la friteuse à 180 °C. Faites frire les frites, par petites fournées, pendant environ 4 minutes, jusqu'à ce qu'elles soient blondes. Égouttez-les et réservez-les sur une plaque.
Émincez finement les oignons.
Réunissez la viande, les herbes ciselées, les câpres et les oignons dans une jatte. Versez l'huile et la sauce Worcestershire, puis assaisonnez de sel et de poivre de Cayenne. Mélangez vigoureusement avec une spatule en bois.
Formez les tartares en forme de dôme au centre des assiettes et faites un creux sur leur sommet. Réservez au frais.
Au dernier moment, faites cuire une deuxième fois les frites jusqu'à ce qu'elles soient bien dorées et égouttez-les. Salez et maintenez-les au chaud dans le four, si vous procédez en plusieurs fournées.
Cassez les œufs et ne gardez que les jaunes. Posez sur chaque tartare une demi-coquille avec son jaune, entourez de frites et servez sans attendre.

Conseils : vous pouvez, comme les puristes le préconisent, utiliser de la viande de cheval. Pour une consistance plus douce, ajoutez 1 cuillerée de ketchup. À déguster avec un graves-de-vayres.

Entrecôtes au beurre d'anchois, mille-feuilles de pommes de terre

Pour 4 personnes
Temps de préparation : 20 minutes
Temps de réfrigération : 2 heures
Temps de cuisson : .1 h 20

10 anchois au sel
120 g de beurre
400 g de pommes de terre
4 échalotes
1 œuf
15 cl de crème liquide
5 cl d'huile
2 entrecôtes très épaisses
Sel, poivre du moulin

Faites dessaler les anchois, rincez-les et séchez-les dans un papier absorbant. Réduisez-les en purée au mixeur avec 70 g de beurre mou. Posez le beurre dans un film alimentaire et roulez-le en forme de boudin. Serrez comme une papillote et faites durcir au froid pendant 2 heures.
Préchauffez le four à 180 °C (th. 6).
Pelez les pommes de terre et émincez-les très finement. Épluchez les échalotes et ciselez-les finement. Battez l'œuf avec la crème et assaisonnez de sel et de poivre.
Chemisez un moule à cake avec du papier sulfurisé et déposez au fond une double couche de rondelles de pommes de terre. Assaisonnez et parsemez d'échalotes ciselées. Nappez de crème et recommencez ces opérations jusqu'à épuisement des éléments en terminant par une couche de pommes de terre nappée de crème. Pressez légèrement pour bien répartir la crème. Portez au four et faites cuire pendant environ 1 h 15. Vérifiez la cuisson en enfonçant sans résistance une lame de couteau.
Faites chauffer l'huile dans une poêle à fond épais, et quand elle est chaude, ajoutez le reste de beurre. Faites cuire à feu très vif les pièces de viandes 3 à 4 minutes sur chaque face. Couvrez d'un papier d'aluminium et laissez reposer 3 minutes.
Dressez les pavés d'entrecôte dans des assiettes chaudes, répartissez le beurre d'anchois en rondelles dessus et disposez autour des tranches de mille-feuilles de pommes de terre.

Conseils : faites cuire le mille-feuilles la veille, tranchez-le à froid et réchauffez-le au four à couvert : il n'en sera que meilleur !
À associer avec un côtes-de-bourg ou un côtes-de-blaye, et, en bourgogne, avec un mâcon ou un beaujolais village.

GRILLED T-BONE STEAK

LES DESSERTS

Gâteau au chocolat

Pour 6 personnes

Temps de préparation : 45 minutes
Temps de repos : 6 heures
Temps de cuisson : 25 minutes

400 g de chocolat noir
200 g de beurre
6 œufs
1 zeste d'orange

Pour le sirop
10 cl de sirop de sucre
1 cuillerée à soupe de cacao

Pour la génoise
6 œufs
100 g de sucre
50 g de farine
50 g de Maïzena

Préchauffez le four à 180 °C (th. 6).
Préparez la génoise : faites blanchir 4 jaunes d'œufs et le sucre dans une jatte au fouet. Ajoutez la farine et la Maïzena et mélangez à la spatule. Montez 6 blancs d'œufs en neige ferme et incorporez-les en soulevant la masse délicatement pour ne pas les briser. Disposez une feuille de papier sulfurisé dans une plaque à bords hauts, coulez l'appareil et lissez avec une spatule. Faites cuire au four pendant 15 minutes. Démoulez la génoise en faisant couler 1/2 verre d'eau sous la feuille de cuisson et couvrez-la d'un linge pour qu'elle reste moelleuse.
Faites fondre le chocolat et le beurre au bain-marie à feu très doux. Laissez tiédir et incorporez les jaunes d'œufs et le zeste d'orange en battant au fouet. Quand l'appareil est presque froid, montez les blancs en neige ferme et ajoutez-les délicatement à la spatule.
Coupez la génoise en bande de la largeur d'un moule à cake et disposez une bande au fond de celui-ci. Imbibez-la du mélange sirop et cacao et couvrez d'une couche de mousse au chocolat. Renouvelez ces opérations en terminant par une couche de génoise. Laissez reposer au froid avant de démouler et de servir en tranches épaisses avec une crème anglaise.

Conseil : à déguster avec un vin rouge doux naturel comme un maury ou un banyuls.

Pain perdu de brioche à la vanille et crème anglaise

Pour 4 personnes

Temps de préparation : 15 minutes
Temps de cuisson : 10 minutes

40 cl de lait
1 gousse de vanille
2 œufs
2 cuillerées à soupe de sucre
1 brioche de la veille
50 g de beurre
40 cl de crème anglaise

Portez le lait à ébullition, coupez le feu et faites infuser la gousse de vanille fendue en deux. Coupez la brioche en tranches épaisses. Quand le lait est froid, grattez l'intérieur de la gousse pour récupérer les graines et enlevez les cosses.
Battez les œufs dans le lait et ajoutez le sucre. Faites tremper les tranches de brioche dans ce mélange pendant quelques minutes, jusqu'à ce qu'elles soient bien imbibées.
Faites doucement chauffer le beurre dans une poêle anti-adhésive. Quand il est mousseux, posez délicatement les tranches de brioches. Faites-les dorer sur leurs deux faces à feu doux. Posez le pain perdu de brioche au centre des assiettes et entourez-les d'un cordon de crème anglaise.

Conseil : à déguster avec un blanc moelleux comme un loupiac, un monbazillac ou un coteaux-du-layon.

Terrine de pommes aux épices

Pour 4 personnes

Temps de préparation : 25 minutes
Temps de réfrigération : 6 heures
Temps de cuisson : 20 minutes

1 feuille de gélatine
600 g de pommes + 2 pommes
50 g de beurre
100 g de cassonade
Sel
Cannelle
Noix muscade
Cinq-épices
200 g de crème fleurette
2 blancs d'œufs
1 pincée de sucre en poudre
1 plaque de génoise (voir recette p. 101)
5 cl de calvados

Pour le sirop
50 g de sucre
10 cl d'eau

Faites tremper la feuille de gélatine dans l'eau froide. Épluchez les 600 g de pommes et coupez-les en quartiers. Faites-les cuire dans une poêle anti-adhésive à couvert pendant environ 20 minutes avec la cassonade et 25 g de beurre, jusqu'à ce qu'elles soient fondantes. Écrasez-les à la fourchette et incorporez la feuille de gélatine bien essorée. Assaisonnez d'une pincée de sel et aromatisez de cannelle, de muscade et de cinq-épices. Laissez refroidir.

Fouettez la crème jusqu'à consistance bien ferme et incorporez-la à la compote. Montez les blancs en neige et serrez-les avec une pincée de sucre pour qu'ils soient fermes. Incorporez-les à la spatule.

Portez le sirop à ébullition et laissez refroidir.

Pelez les 2 pommes supplémentaires, épépinez-les et émincez-les en fines tranches. Faites-les dorer rapidement dans le beurre et chemisez un moule (individuel ou moule à cake) avec les rondelles. Étalez au fond une couche de compote de pommes, puis une couche de génoise imbibée de sirop et de quelques gouttes de calvados. Montez la terrine jusqu'à épuisement des éléments en terminant par une couche de génoise.

Laissez refroidir quelques heures avant de servir.

Conseils : pour faciliter le démoulage, chemisez le moule d'un papier sulfurisé. À associer, naturellement avec un cidre, un pommeau, ou un calvados.

Consommé glacé de fraises

Pour 4 personnes

Temps de préparation : 20 minutes
Temps de marinade : 12 heures
Temps de cuisson : 15 minutes

500 g de fraises
10 cl de vin rouge
100 g de sucre
1,5 yaourt bulgare
3 blancs d'œufs
20 g de sucre

Nettoyez les fraises et coupez-les en petits dés. Versez-les dans une jatte et mélangez-les avec le vin rouge et le sucre. Remuez délicatement et laissez mariner 12 heures.
Réservez 4 cuillerées de fraises marinées, filtrez le jus et passez le reste des dés de fraises au mixeur. Ajoutez le yaourt et continuer de mixer pour émulsionner le mélange. Montez les blancs d'œufs en neige et serrez-les avec les 20 g sucre. Incorporez délicatement 2 cuillerées de blancs en neige à l'émulsion de fraises à la spatule en soulevant la masse. Réservez au frais.
Avec le reste de blancs, formez des boules ou des grosses quenelles, avec deux cuillères trempées dans l'eau froide. Faites-les pocher dans l'eau frémissante 3 minutes dans tous les sens et laissez-les égoutter sur un linge.
Portez à ébullition le jus réservé de la marinade dans une casserole. Faites réduire jusqu'à consistance sirupeuse et laissez refroidir.
Répartissez les dés de fraises réservés dans le fond des verres ou des coupes, versez le consommé glacé et posez dessus un œuf à la neige. Décorez d'un filet de coulis de fraises bien réduit et de quelques dés de fraise.

Conseils : formez et faites cuire les œufs à la neige d'avance et réservez-les sur un linge au frais. Posez-les sur le consommé au dernier moment.
Accompagnez d'un champagne rosé.

Bavarois de rhubarbe à la fraise

Pour 4 personnes

Temps de préparation : 25 minutes
Temps de repos : 4 heures
Temps de cuisson : 2 minutes

125 g de sucre
350 g de rhubarbe
125 g de crème fleurette
2 feuilles de gélatine
150 g de fromage blanc bien égoutté
1 blanc d'œuf
150 g de fraises

Pour le biscuit
50 g de beurre
10 biscuits de Reims

Préparez le biscuit : coupez le beurre en petites parcelles. Cassez les biscuits de Reims en morceaux et incorporez-les au beurre. Travaillez à la fourchette pour obtenir la consistance d'un gros sablé. Tassez légèrement la préparation, sur 1,5 cm d'épaisseur, dans des cercles à pâtisserie de 8 cm de diamètre et de 4 cm de haut. Réservez au frais.
Faites un sirop avec le sucre et 25 cl d'eau. Portez à ébullition et ajoutez la rhubarbe coupée en morceaux et bien nettoyée. Faites cuire 2 minutes, puis laissez refroidir et égouttez à fond dans une passoire.
Montez la crème au fouet bien ferme. Faites tremper la gélatine dans l'eau froide, puis faites-la dissoudre dans 2 cuillerées à soupe de sirop de cuisson chaud et incorporez-la au fromage blanc. Mélangez le tout avec la rhubarbe, puis la crème fouettée et enfin le blanc d'œuf battu en neige avec une pincée de sucre.
Coupez les fraises en lamelles et chemisez les cercles légèrement beurrés. Versez-y le bavarois et laissez prendre 4 heures au frais.

Conseils : à défaut de cercles à pâtisserie, vous pouvez utiliser des conserves métalliques basses, ouvertes des deux côtés. Serrez le blanc d'œuf en incorporant 1 cuillerée à café de sucre glace à la fin de l'opération.
À déguster avec un blanc pétillant comme une clairette de Die ou un champagne rosé.

Gâteau de crêpes

Pour 4 personnes

Temps de préparation : 30 minutes
Temps de repos : 2 heures
Temps de réfrigération : 6 heures
Temps de cuisson : 15 minutes

150 g de fromage blanc
1 feuille de gélatine
3 œufs
50 g de sucre
2 poires au sirop
3 cl d'alcool de poire
1 cuillerée à soupe de sucre glace
100 g d'amandes effilées

Pour la pâte à crêpes
2 œufs
10 g de beurre
125 g de farine
Sel
40 cl de lait

Préparez les crêpes : battez les œufs et mélangez le beurre fondu avec la farine et une pincée de sel jusqu'à ce que le mélange soit bien lisse. Versez le lait progressivement tout en battant vigoureusement au fouet.
Réservez 6 heures au frais. Égouttez le fromage blanc dans une passoire fine.
Faites les crêpes très fines et blondes.
Mettez à tremper la feuille de gélatine. Versez les jaunes d'œufs et le sucre dans une jatte et faites chauffer au bain-marie tout en battant au fouet jusqu'à ce que mélange blanchisse et épaississe un peu. Laissez dissoudre la gélatine dans un peu de sirop de poire chaud et incorporez-le, avec l'alcool de poire, au fromage égoutté.
Mélangez les jaunes et le fromage blanc au fouet, puis incorporez délicatement les blancs d'œufs montés en neige ferme avec le sucre.
Chemisez des petits moules avec une crêpe, répartissez les poires coupées en petits dés, quelques amandes grillées, puis l'appareil au fromage blanc. Rabattez la crêpe et laissez prendre quelques heures au frais. Servez le gâteau de crêpe entouré d'un cordon de sirop de poire et parsemé d'amandes grillées.

Conseil : à déguster avec un blanc moelleux de Bergerac ou un coteaux-du-layon.

Tarte tiède au chocolat et nougat

Pour 6 personnes

Temps de préparation : 15 minutes
Temps de cuisson : 25 minutes

1 pâte brisée sucrée
200 g de nougat de Montélimar
100 g de beurre
200 g de chocolat noir
2 œufs
40 g de sucre

Préchauffez le four à 180 °C (th. 6).
Disposez la pâte dans un moule à tarte beurré et piquez-la régulièrement à la fourchette. Couvrez d'un papier sulfurisé et garnissez de haricots secs.
Faites cuire à blancs pendant 15 minutes.
Concassez grossièrement le nougat au couteau.
Faites fondre le beurre, ajoutez le chocolat en morceaux et laissez doucement fondre au bain-marie tout en battant. Dès que le mélange est fluide, retirez-le du feu.
Faites blanchir les œufs et le sucre dans une jatte au fouet. Ajoutez le chocolat fondu et battez jusqu'à ce que la préparation soit lisse. Sortez la tarte du four, enlevez les haricots secs et garnissez-la de chocolat et laissez tiédir sur une grille. Parsemez d'éclats de nougats quand la préparation commence à se raffermir et enfoncez-les légèrement. Laissez complètement refroidir avant de couper en parts et de déguster.

Conseil : l'association d'un vin doux naturel et du chocolat est un grand moment, essayez un vieux banyuls ou un rivesaltes.

Moelleux aux noisettes et nougatine brisée

Pour 4 personnes

Temps de préparation : 30 minutes
Temps de repos : 6 heures
Temps de cuisson : 15 minutes

2 feuilles de gélatine
50 cl de crème fleurette
50 g de sucre vanillé
10 cl de lait
3 œufs
50 g de noisettes mondées
2 blancs d'œufs
1 plaque de génoise
10 cl de sirop de canne
1 cuillerée à soupe de cacao

Pour la nougatine
50 g d'amandes hachées
100 g de sucre

Préparez la nougatine : faites blondir les amandes hachées à la poêle et réservez-les. Dans un poêlon de cuivre, faites fondre le sucre avec 1 cuillerée à soupe d'eau. Laissez cuire en remuant simplement la casserole jusqu'à ce que le sucre prenne une jolie couleur blonde. Ajoutez les amandes, remuez à la spatule sans cesse sur feu doux pendant 40 secondes. Versez sur un marbre huilé et étalez finement à la spatule.
Faites tremper les feuilles de gélatine dans l'eau froide.
Chauffez 40 cl de crème, le lait, le sucre vanillé et les œufs dans une jatte posée sur une casserole d'eau chaude. Faites épaissir sur feu doux en remuant constamment, ajoutez les feuilles de gélatine puis laissez refroidir. Ajoutez les noisettes grossièrement hachées.
Montez le reste de crème fleurette au fouet très ferme et incorporez-la à la crème refroidie. Montez les blancs en neige ferme et incorporez-les à la spatule.
Imbibez la génoise de sirop détendu d'eau et aromatisé avec le cacao. Découpez des socles à l'emporte-pièce (cercles de 8 cm).
Remplissez-les à moitié de crème aux noisettes, posez une petite plaque de nougatine et couvrez de crème à ras bord.
Laissez refroidir 6 heures et servez le moelleux dans une assiette entouré d'un cordon de crème anglaise et décoré d'éclats de nougatine posés au dernier moment.

Conseil : à déguster avec un vin jaune des côtes du Jura ou d'Arbois ou plus simplement avec un blanc de bordeaux moelleux.

Tarte aux poires confites et crème d'amandes

Pour 6 personnes
Temps de préparation : 30 minutes
Temps de cuisson : 45 minutes

100 g de sucre
50 cl de vin rouge
10 cl de sirop de cassis
8 petites poires à cuire
400 g de pâte sablée

Pour la crème d'amandes
2 œufs
150 g de sucre
150 g de beurre
150 g de poudre d'amandes

Faites un sirop avec le sucre, le vin rouge et le cassis. Portez à ébullition, puis baissez le feu et entretenez un léger frémissement.
Pelez les poires en laissant la queue, évidez-les par la base pour enlever les pépins et plongez-les dans le sirop. Faites cuire 25 minutes, égouttez-les puis faites réduire le jus à feu doux.
Versez les jaunes d'œufs dans une jatte, ajoutez le sucre et faites blanchir au fouet.
Ajoutez alors le beurre fondu tiède et la poudre d'amandes. Mélangez pour obtenir une pâte bien lisse.
Préchauffez le four à 180 °C (th. 6).
Foncez un cercle de 22 cm avec la pâte sablée, piquez-la à la fourchette et remplissez avec la crème d'amandes.
Faites cuire 10 minutes en surveillant la coloration. Enfoncez délicatement les poires dans la crème, puis remettez au four pour 10 minutes.
Laissez refroidir la tarte sur une grille. Servez avec le coulis de vin tiède.

Conseils : choisissez des poires très fermes et vérifiez leur cuisson en enfonçant, sans rencontrer de résistance, une lame de couteau dans leur chair.
À déguster avec un fleurie.

Crêpes Suzette

Pour 4 personnes
Temps de préparation : 30 minutes
Temps de repos : 2 heures
Temps de cuisson : 15 minutes

2 oranges
2 citrons
100 g de beurre
3 cuillerées à soupe de sucre glace
3 cuillerées à soupe de sucre en poudre
5 cl de rhum
2 cuillerées à soupe de curaçao

Pour la pâte à crêpes
125 g de farine
30 g de sucre
30 g de beurre
3 œufs
35 cl de lait
Sel

Préparez la pâte à crêpes. Mélangez la farine, le sucre, le beurre fondu et les œufs au fouet. Quand la pâte est parfaitement lisse, ajoutez peu à peu le lait avec une pincée de sel. Laissez reposer 2 heures au frais, puis faites cuire les crêpes.
Préchauffez le four à 210 °C (th. 7).
Levez le zeste des oranges et des citrons. Taillez-les en julienne et faites-les blanchir 30 secondes à l'eau bouillante, puis rafraîchissez-les. Mélangez le beurre mou avec le sucre glace, le jus de 1 orange et la moitié des zestes. Battez au fouet pour émulsionner le mélange.
Étalez cette préparation sur les crêpes, pliez-les en quatre et disposez-les dans un plat. Mouillez avec le jus de la deuxième orange et saupoudrez avec le sucre en poudre et le reste des zestes.
Passez au four pendant 4 minutes.
Pendant ce temps, faites chauffer les alcools dans une petite casserole sans les faire bouillir. Flambez directement à table dans le plat de cuisson.

Conseil : à déguster avec un champagne demi-sec ou, pourquoi pas, un verre de beaumes-de-venise.

Riz au lait et caramel au beurre salé

Pour 4 personnes
Temps de préparation : 30 minutes
Temps de repos : 6 heures
Temps de cuisson : 45 minutes

100 g de riz rond
50 cl de lait
1 gousse de vanille
Sel
75 g de sucre
2 jaunes d'œufs
100 g de raisins secs

Pour le caramel
100 g de sucre
30 g de beurre salé

Préchauffez le four à 200 °C (th. 7).
Remplissez une casserole d'eau froide et versez-y le riz. Faites chauffer et dès que l'ébullition est atteinte, égouttez et rincez sous un filet d'eau froide.
Faites chauffer doucement le lait avec la gousse de vanille fendue en deux. Quand il bout, ajoutez le riz et saupoudrez d'une pincée de sel. Laissez cuire quelques instants et versez dans un moule à charlotte ou à manqué anti-adhésif.
Couvrez soigneusement le riz et portez au four 15 minutes.
Sortez le riz, ajoutez le sucre en poudre et mélangez. Couvrez et finissez la cuisson au four pendant environ 20 minutes, jusqu'à ce que le riz ait totalement absorbé le lait.
Pendant ce temps, préparez le caramel. Versez le sucre et le beurre dans un poêlon, mouillez de 2 cuillerées à soupe d'eau et faites chauffer à feu doux en remuant la casserole. Augmentez la flamme quand le sirop est clair et faites cuire jusqu'à une belle couleur blonde.
Versez de suite le caramel dans des moules en porcelaine et inclinez-les en tout sens pour bien le répartir.
Sortez le riz du four, ajoutez les jaunes battus, les raisins secs et mélangez rapidement. Répartissez dans les moules, tassez légèrement et réservez 6 heures au frais. Servez nature ou avec un peu de crème anglaise.

Conseils : pendant la cuisson du caramel, la flamme ne doit pas dépasser le fond de la casserole, ce qui aurait pour effet de brûler celui-ci sur les bords. À déguster avec un blanc moelleux, voire liquoreux de gironde : barsac, cadillac ou sainte-croix-du-mont.

Petits babas trempés au rhum vieux

Pour 4 personnes
Temps de préparation : 30 minutes
Temps de repos : 45 minutes
Temps de cuisson : 15 minutes

250 g de farine
12 g de levure fraîche
25 g de sucre
5 g de sel
2 œufs
75 g de beurre

Pour le sirop
250 g de sucre
30 cl d'eau
20 cl de rhum

Préparez le sirop : portez l'eau et le sucre à ébullition dans une casserole, coupez le feu et ajoutez le rhum. Laissez refroidir.
Versez 60 g de farine dans une jatte avec la levure. Délayez avec un peu d'eau tiède jusqu'à consistance d'une pâte molle. Ajoutez le reste de la farine, le sucre et le sel et mélangez rapidement. Laissez reposer 15 minutes dans un endroit chaud.
Incorporez les œufs, pétrissez, puis ajoutez petit à petit un peu d'eau froide pour obtenir une pâte élastique. Pétrissez et battez la pâte pendant 15 minutes, puis passez-la à l'étuve 10 minutes.
Préchauffez le four à 200 °C (th. 6-7).
Ajoutez le beurre fondu, pétrissez rapidement et versez dans des petits moules beurrés. Remettez à l'étuve et laissez lever les babas pendant 10 à 20 minutes.
Faites cuire au four pendant 10 à 15 minutes suivant la taille des moules, jusqu'à ce que les babas soient dorés. Démoulez et laissez refroidir sur une grille avant de les tremper dans le sirop de rhum.
Posez une soucoupe sur les babas pour qu'ils soient immergés. Servez avec une crème fouettée.

Conseils : si vous voulez simplement parfumer le sirop, remplacez la moitié du rhum par de l'eau.
Il est important de battre la pâte pendant 15 minutes.
À accompagner tout simplement d'un verre de vieux rhum ambré.

Tarte tatin et sa crème montée

Pour 6 personnes
Temps de préparation : 30 minutes
Temps de repos : 1 heure
Temps de cuisson : 35 minutes

8 pommes
100 g de sucre cristallisé
2 cuillerées à soupe de vinaigre de cidre
40 g de beurre
Sel
1 pâte feuilletée abaissée de 250 g
25 cl de crème fleurette
2 cuillerées à soupe de crème épaisse
2 cuillerées à soupe de sucre glace

Pelez les pommes, coupez-les en deux et épépinez-les.
Versez le sucre cristallisé dans un moule épais à bords hauts (grand moule à manqué en cuivre de préférence) et faites-le cuire à feu doux en le mouillant avec le vinaigre de cidre. Quand le sucre est fondu, augmentez le feu et faites cuire jusqu'à obtention d'un caramel pas trop foncé.
Sortez le moule du feu et posez-y les demi-pommes sur leur côté bombé en les serrant bien. Ajoutez le beurre et une pincée de sel dans le caramel et faites cuire pendant environ 15 minutes à feu doux en surveillant la coloration des pommes. Laissez refroidir au frais.
Préchauffez le four à 200 °C (th. 6-7).
Mettez une jatte et les fouets du batteur au congélateur.
Couvrez les pommes avec la pâte feuilletée en rabattant bien les bords à l'intérieur. Enfournez et faites cuire 20 minutes.
Pendant ce temps, versez la crème fleurette et la crème épaisse dans la jatte bien froide et montez la crème au fouet. Quand celle-ci commence à être ferme, ajoutez le sucre glace et battez encore 2 minutes.
Laissez un peu refroidir la tarte avant de la démouler en la retournant sur un plat (attention au caramel brûlant). Servez-la encore chaude avec 1 cuillerée à soupe de crème montée.

Conseils : enlevez l'excédent de caramel une fois les pommes cuites et laissez complètement refroidir les pommes avant de les couvrir de la pâte. Une fois la tarte cuite, reversez le caramel sur les pommes.
À déguster avec un sainte-croix-du-mont moelleux, ou, pour surprendre un peu, un excellent cidre ou un pommeau de Normandie.

Coquetiers chocolat caramel

Pour 6 personnes
Temps de préparation : 20 minutes
Temps de cuisson : 15 minutes

125 g de chocolat noir
20 cl de crème fleurette
50 g de sucre en morceaux
40 g de beurre

Cassez le chocolat en morceaux dans une casserole à fond épais. Versez 10 cl d'eau et 10 cl de crème sur le chocolat. Faites chauffer jusqu'à frémissement et cuisez tout doucement 10 minutes sans cesser de remuer. Réservez au chaud.
Dans un poêlon à sucre ou une casserole à fond épais, faites chauffer le sucre imbibé d'un peu d'eau. Inclinez la casserole en tout sens, mais n'introduisez pas d'instrument dans le sucre en cuisson. Quand le caramel prend une belle couleur blonde, versez-le dans le chocolat en filet sans cesser de battre. Incorporez ensuite au fouet le beurre froid en morceaux, puis le reste de crème liquide. Versez dans des coquetiers et décorez d'une goutte de crème au centre. Laissez tiédir avant de servir avec le café.

Conseils : préparez une plus grande quantité de caramel et versez le reste sur un marbre huilé. Quand celui-ci se raffermit, tirez des filaments de caramel avec une fourchette et formez-les en nid autour de vos doigts. Surmontez les coquetiers de ces cages dorées.
Cette mignardise de fin de repas est, pour nous, liée à un bon café fruité et aromatique.